D1198353

La collection «Ici et maintenant» donne la parole aux penseurs qui, par leurs recherches dans les domaines de la science, de la philosophie, de la spiritualité ou de l'art, préparent la nouvelle conscience de l'Homme.
Si nous nous sommes éloignés des valeurs essentielles, les écrivains réunis dans cette collection nous invitent à faire le voyage de la beauté, de la force et de la grandeur en nous.

Colette Chabot,
directrice de la collection.

à Claire Lavallée
Lacroix

6-97
de Colette Chabot

Le Secret de la Lampe d'Aladin

ou comment réaliser tous vos rêves

Données de catalogage avant publication (Canada)
Boutet, Paul
Le secret de la lampe d'Aladin
(Ici et maintenant).
ISBN 2-89111-438-8
1. Perception subliminale. 2. Boutet, Paul.
I. Titre.
BF323.S8B69 1990 153.7'36 C90-096461-8

Maquette de la couverture : France Lafond
Photo de la page couverture : Superstock
Photocomposition et mise en page : Deval-Studio Litho Inc.

2016, rue Saint-Hubert
Montréal, H2L 3Z5

Dépôt légal : 3e trimestre 1990

ISBN 2-89111-438-8

Paul Boutet

Le Secret de la Lampe d'Aladin

ou comment réaliser tous vos rêves

À mes parents,
Aline Plante et Pierre Boutet,
qui m'ont toujours donné
le meilleur d'eux-mêmes,
et à mes filles
Madhoura (de la douceur du miel)
et Satya (de la plus pure vérité)
afin qu'elles réalisent
l'immense Joie d'Être.

Table des matières

Préface 9

Avant-propos 11

Introduction 13

I La solution à nos problème est entre nos mains 15
L'ignorance, source de tous nos maux 16

II Le symbolisme de la lampe d'Aladin 19
La pensée crée 19

III La foi 23
La peur, mauvaise conseillère 24
Avec une innocence d'enfant 26
Un outil pour réaliser tous nos rêves 27

IV L'Esprit 31
La sagessse parfaite de l'Esprit 34
Réaliser la Vérité 36
Le principe de toute vie intérieure 38

V Le pardon 41
Les enfants du Divin 42
Le bonheur de notre réunification 43
S'ouvrir à la lumière d'En-Haut 45
Ici et maintenant 47
Changer de conscience 48
L'Esprit agit en nous 49

VI La bénédiction 55
Un seul Amour 56
Esprit et Matière sont un 58
Partir de l'intérieur 60

VII La demande 63
Il est fait selon notre Foi 64
Exalter et glorifier le Divin 66
Abandonner notre désir à l'Esprit 68
Tout ce que nous voulons avoir et être 71
Dieu nous répond déjà 94
Faire confiance 96
Pour la pleine réalisation de nous-mêmes 98

VIII Le remerciement 101
Une source d'inspiration et de motivation exceptionnelle 103
Dans le moment présent 104
S'éveiller à une vie nouvelle 107

Conclusion 111

Remerciements 115

Préface

Paul Boutet a vécu. Il a connu les bas-fonds, il a fait l'expérience de la faiblesse et de l'excès. Il a traversé les grandes eaux.

Ce qui fait maintenant surface est un être clair, doux et simple. Le langage est direct, l'oeil est pur, la voix est chaude. Le Coeur s'est éveillé.

Le livre qu'il a écrit est transparent comme son regard. Il n'y a pas de littérature, mais une parole pleine qui touche. Ce livre parlera à tous ceux qui cherchent un sens à la vie mais ne veulent pas de théories savantes et compliquées - seulement une ligne directrice qui vient du dedans. Ce langage sera compris par ceux qui ont vécu assez pour vouloir aller jusqu'au bout de leur Coeur.

Placide Gaboury.

Avant-propos

Ce livre est en quelque sorte l'aboutissement d'une recherche intensive de la vérité; recherche menée à travers mes expériences familiales, mes études en psychologie, mes nombreuses lectures et réflexions sur le sens de la vie, mes expérimentations dans différentes voies de croissance personnelle, ma participation à diverses formes de psychothérapie, ma pratique assidue de la méditation et du yoga ainsi qu'à travers mes activités professionnelles dans le secteur de la psychologie et des affaires.

J'adresse cet ouvrage à toutes les personnes qui aspirent à dépasser leurs limites; à ceux et celles qui cherchent les vérités éternelles et veulent connaître les lois spirituelles; à ceux, enfin, qui ont besoin d'outils pour affronter et résoudre les problèmes de leur vie quotidienne, qu'il s'agisse de maladies, de désordres affectifs, de difficultés relationnelles, de mauvaises habitudes, de déboires financiers, d'échecs sociaux ou professionnels...

Le contenu de ce livre est à la fois théorique et pratique; j'y énonce et explique des principes universels fondamentaux et je suggère en même temps des comportements qui aideront le lecteur à appliquer ces lois dans sa propre vie afin d'obtenir des résultats précis.

J'ai écrit de la manière la plus simple possible. Le lecteur aura intérêt à lire lentement, à méditer, à réfléchir et à mettre en application, dès maintenant, les idées proposées. Je lui suggère d'aborder ce livre en ayant à l'esprit une question, une difficulté à surmonter, un problème à résoudre ou un objectif à atteindre; c'est de cette manière uniquement qu'il réalisera l'efficacité des techniques proposées.

Que le lecteur ne s'offusque pas de rencontrer dans ce livre des répétitions: elles ont pour but de faciliter sa compréhension et de l'aider à maîtriser les lois énoncées.

Introduction

Tout problème possède sa solution et toute question, sa réponse. Qu'il suffise, pour s'en convaincre, de penser aux opposés d'une seule et même réalité, comme par exemple les côtés «pile» et «face» d'une pièce de monnaie, le début et la fin d'un processus unique, le jour et la nuit... Ces éléments s'opposent en apparence mais ne peuvent exister l'un sans l'autre, ils font partie d'une réalité indivisible. Ainsi, une question ne peut exister sans réponse et un problème, sans solution.

En vertu de cet énoncé, nous serions sûrement heureux de connaître le principe ou le mécanisme au moyen duquel nous pourrions résoudre nos problèmes et trouver des réponses à nos questions. Nous serions infiniment plus détendus et plus sûrs de nous-mêmes si nous savions comment obtenir ou réaliser tout ce que nous avons toujours souhaité avoir et être. N'aimerions-nous pas avoir en notre possession la fameuse lampe d'Aladin des contes des *Mille et Une Nuits,* laquelle, grâce à un frottement répété et à une simple demande, permet de satisfaire tous les désirs du coeur: l'amour et l'amitié sincères, la paix et la joie durables, le succès professionnel et la richesse matérielle, la puissance personnelle et la réussite sociale... enfin, tous les grands biens des mondes spirituels et matériels?. Je ne connais personne qui ne souhaiterait, du moins secrètement, posséder un tel joyau.

Si cette lampe magique existe dans les contes de fées, pourquoi ne pas la considérer comme la représentation imagée d'une autre réalité, mentale peut-être, mais tout aussi fascinante et puissante? Pourquoi la lampe d'Aladin ne serait-elle pas l'expression symbolique du pouvoir de notre esprit, pouvoir qui peut être reconnu et utilisé avec autant d'efficacité?

Beaucoup de gens n'osent pas croire à un tel pouvoir parce que l'inconnu les effraie; ils ont peur de changer, de se perdre, d'en savoir trop, peur de devenir fou ou de mourir, de modifier leur vie, d'avoir d'autres amis ou un travail différent, peur de se tromper, d'échouer ou simplement de ne savoir quoi faire avec tant de richesses et de plaisirs... Ils voudraient avoir la certitude que ce pouvoir existe vraiment avant de fournir des efforts pour se l'approprier. Ils souhaiteraient le voir, le toucher, le sentir. Et lorsque ces gens rencontrent ou entendent parler de quelqu'un qui possède ou extériorise une telle puissance, ils le perçoivent comme un dieu, un extra-terrestre, un gourou ou un magicien, alors qu'il s'agit simplement d'un homme comme les autres. S'il n'est donné qu'à quelques individus - les plus audacieux sans aucun doute - de posséder un tel pouvoir, c'est qu'il n'est ni visible ni palpable et que nous ne pouvons en être absolument sûrs avant de le connaître vraiment et de le maîtriser. Pour y arriver, il faut d'abord croire en ce pouvoir, ensuite l'utiliser de façon consciente et délibérée pour finalement en observer les résultats.

La lampe d'Aladin doit être perçue d'abord comme une réalité mentale. Cette lampe existe réellement sur un autre plan et elle est accessible à chacun de nous; nous pouvons tous l'utiliser et en tirer profit. En fait, nous la possédons déjà en nous et nous nous en servons à chaque instant inconsciemment. Le «trésor» est le même pour tout le monde, de même que son mode d'emploi, et le génie est tout aussi efficace et généreux pour chacun de nous.

Frottons-nous à cette lampe magique qui nous permettra de récolter des résultats étonnants dans nos affaires, notre travail, nos relations, bref dans toutes les circonstances de notre vie.

I

La solution à nos problèmes est entre nos mains

Les difficultés auxquelles sont confrontés les êtres humains varient à l'infini. Notre anxiété face à nos problèmes vient de notre impuissance à les régler. Devant une situation problématique, nous cherchons toutes sortes de solutions, nous en parlons à des amis ou nous consultons un spécialiste: un médecin pour une maladie du corps, un psychologue ou un psychiatre pour un problème mental ou émotif, un comptable ou un fiscaliste pour nos difficultés financières, un sexologue pour un trouble sexuel, un prêtre pour une inquiétude morale ou religieuse, etc.

Parfois, nous réussissons à résoudre notre problème sans trop savoir comment nous y sommes parvenus. D'autres fois, il semble que, malgré nos efforts, nous soyons totalement incapables de circonscrire la nature même de notre problème. Beaucoup de personnes se résignent finalement à vivre avec leurs difficultés, parce que tout ce qu'elles ont tenté pour les régler a échoué; elles se disent alors que rien n'est parfait et que la quiétude suppose l'acceptation de ses difficultés. Jusqu'à un certain point, cette réaction est saine car il serait inutile, fastidieux et même dangereux de se battre sans vraiment posséder les armes pour gagner la bataille. Ces gens ont toutefois tort de croire que s'ils n'ont pas réussi à solutionner leurs problèmes, il n'existe pas de solution ou de méthode-clé pour les régler... ou de conclure que si la solution existe pour d'autres, elle n'existe pas pour eux.

Lorsque l'on observe le monde en général, plusieurs questions s'imposent: comment expliquer que certaines personnes soient souvent malades et d'autres pas? Pourquoi certains individus ont-ils toujours des problèmes financiers alors que d'autres réussissent très bien dans ce domaine? Pourquoi telle personne est-elle incapable de se faire des amis et de les garder alors qu'une autre est toujours bien entourée? Comment cet homme en arrive-t-il toujours à perdre son emploi alors que d'autres mènent de brillantes carrières? Pourquoi certaines personnes sont-elles alcooliques et le demeurent alors que d'autres en guérissent complètement? Quel est le secret de ceux qui réussissent dans toutes les dimensions de leur vie? Sont-ils plus chanceux que d'autres?

L'ignorance, source de tous nos maux

En vérité, notre incapacité ou notre difficulté à solutionner nos problèmes relèvent d'une seule cause et il n'existe, par conséquent, qu'une seule manière de procéder pour les solutionner. Cela dit, il suffit d'identifier cette cause et de maîtriser notre attitude et notre comportement en conséquence, et nous posséderons alors le pouvoir de la lampe d'Aladin. Évidemment, la vie nous soumettra toujours de nombreuses énigmes, mais il sera certainement plus agréable de les considérer comme des jeux, plutôt que de les voir comme des problèmes inextricables et insurmontables.

La source unique de tous nos maux est l'ignorance de notre unité de fait avec la Réalité totale ou Dieu, et cette ignorance engendre un sentiment d'isolement et d'impuissance. Le remède à tous nos maux est donc notre ré-union avec Cela ou Lui.

Je ne privilégie aucune dénomination ou confession religieuse particulière parce que je crois que toutes les religions ne sont que des formes différenciées de l'expression d'un même besoin essentiel ou d'une même aspiration humaine fondamentale: c'est-à-dire l'aspiration à atteindre la perfection dans tous les domaines, le désir de parvenir à la possession et à la maîtrise de la vraie connaissance, de la puissance et de la joie réelle.

Que nous l'appelions Cela ou Dieu, Jehovah ou Yahvé, ou que nous lui donnions le nom de Brahma, Allah, Vishnou ou autres, cela n'a finalement pas d'importance. Ce qui compte, c'est l'idée exacte que nous nous en faisons, le rapport précis que nous établissons avec Lui, l'expérience vivante que nous en avons et les résultats concrets que nous voyons apparaître dans nos vies. Et n'oublions pas que la Réalité est Une, indivisée et indivisible. S'il en était autrement, cette Réalité se serait détruite par elle-même depuis longtemps. On n'a qu'à penser à tous les désordres engendrés par les différentes guerres de religion depuis des siècles pour se convaincre que si de tels désordres devaient se produire au niveau cosmique, le tout exploserait en une fraction de seconde.

Toutes les idéologies religieuses peuvent être de bons véhicules pour rétablir le lien vivant de l'homme avec Dieu. Nous retrouvons des saints, des maîtres, des grandes âmes et des prophètes dans toutes les religions. Chaque individu possède sa culture, sa mentalité, ses traditions et ses coutumes. Il appartient à chacun d'identifier la voie qui lui convient le mieux et de partir d'où il se trouve pour se rendre à destination.

Certains demanderont des preuves avant de s'impliquer, mais il est difficile, voire même impossible de «prouver» l'évidence. L'évidence ne peut être que constatée; elle nous saute au visage, comme lorsque nous cherchons nos lunettes alors que nous les avons sur le bout du nez, ou lorsque nous regardons partout avec frénésie pour trouver nos clés de voiture alors qu'elles sont devant nous, sur le bureau. Il y a des êtres magnifiques qui témoignent d'une manière éclatante de la Présence de Dieu dans le monde; ils ne sont ni dieux, ni démons, ni magiciens, ni charlatans ou illuminés, mais des êtres humains qui reconnaissent simplement leur union avec Dieu ou Cela.

La vérité ne peut être découverte que par celui qui s'efforce de la connaître. Elle est dévoilée à celui qui s'ouvre pour la recevoir. De même en est-il lorsque nous essayons ardemment mais en vain de nous souvenir du nom d'une personne et que la réponse nous arrive soudainement, un peu plus tard, lorsque nous avons cessé tout effort pour nous remémorer ce nom. D'où vient alors la réponse? Comment nous est-elle revenue?

Notre démarche doit être intime et personnelle. Aucun individu ne peut nous enlever les certitudes que nous tirons de notre propre expérience; personne ne peut prétendre que nous n'avons vu telle chose lorsque nous en avons été témoin; personne ne peut, non plus, nier notre expérience de peur dans une situation particulière. Exiger un minimum de preuves avant d'entreprendre cette démarche est sans doute tout à fait raisonnable. Mais qu'avons-nous à perdre? Nos moyens limités ne nous laissent-ils pas impuissants dans plusieurs situations problématiques? Les personnes qui nous parlent des résultats extraordinaires de leur foi en Dieu mentent-elles toutes? Et puis, quel est notre risque? Combien de temps et d'argent devrons-nous y investir? Quelques exercices? Quelques minutes par jour?

II

Le symbolisme de la lampe d'Aladin

L'utilisation de la lampe d'Aladin nous permet d'imaginer toutes sortes de plaisirs, de satisfactions et de bonheurs. Elle réveille en nous le désir de jouir d'une telle commodité dans nos propres vies. Tout n'irait-il pas mieux si nous étions tous heureux, prospères et en santé? Fini les frustrés, les jaloux, les envieux... Terminées les insatisfactions chroniques et les maladies à n'en plus finir...

Quel est donc ce bijou du conte des *Milles et Une Nuits?* Qui est ce bon génie qui répond sur demande à nos besoins?

En général, nous utilisons une lampe pour faire de la lumière, mais dans le conte des *Mille et Une Nuits,* il ne s'agit pas d'un objet matériel mais plutôt d'un pouvoir. Un pouvoir de compréhension mentale ou de clarté spirituelle, c'est-à-dire une façon de voir les choses ou de concevoir la réalité qui va nous permettre de satisfaire tous nos besoins, rêves ou désirs personnels si nous savons nous y «frotter» convenablement, autrement dit, si nous savons l'utiliser adéquatement.

La pensée crée

La lampe représente le pouvoir créateur de nos pensées: lorsque nous créons un nouvel objet ou que nous construisons une nouvelle forme à même la matière, nous commençons par les concevoir mentalement, puis nous accomplissons, de façon consciente ou non, tous les gestes qui conduiront à la matérialisation de cette conception. Une des vérités les plus importantes à retenir est que nous avons le pouvoir de choisir, de diriger et de maîtriser nos pensées. L'être humain a non seulement la possibilité de penser ou de recevoir les idées d'autrui, mais il a également la capacité d'évaluer, de critiquer, de juger, de conserver ou de rejeter ces idées. Cela se fait automatiquement et régulièrement, sans que nous ayons d'effort spécial à fournir. Ce mécanisme opère en chacun de nous, suivant la conception que nous nous faisons de la Réalité, de Dieu, de la Vie ou du Monde. Il va sans dire qu'aussi longtemps que cette conception sera fausse ou imparfaite, nous devrons subir l'erreur, la fausseté et l'imperfection dans notre vie. Appliquons-nous petit à petit, chacun à notre rythme, à embellir, purifier, ajuster et parfaire notre concept de ce que nous appelons «Dieu», pour ensuite l'utiliser dans toutes les dimensions de notre vie. Nous constaterons que ce pouvoir grandit sans arrêt et qu'il n'y a pas de limites à ce que nous pouvons en espérer.

Recourir à la lampe dans le but de satisfaire nos besoins, nos souhaits ou nos désirs exige une intervention régulière et répétitive de notre part. Il ne se produira aucune manifestation visible si nous n'utilisons pas ce pouvoir créatif pour réaliser quelque rêve ou aspiration personnelle. Toute l'histoire de la fameuse lampe d'Aladin représente la possibilité de manifester à l'extérieur la puissance créatrice de l'esprit, par l'utilisation juste de nos pensées en rapport avec nos désirs et nos besoins. La lampe d'Aladin symbolise un pouvoir, mais ce pouvoir est inutile et sans valeur véritable si personne ne se l'approprie. Aucun phénomène spécial ne se produira si nous ne nous frottons pas à cette lampe; dès lors, nous prendrons conscience que nous pouvons obtenir une réponse personnalisée à nos rêves les plus audacieux. Pratiquons-nous à exercer régulièrement le pouvoir créateur de notre esprit et voyons comment nous parvenons à éveiller en nous le génie qui nous fera obtenir et réaliser dans notre vie tout ce que nous avons toujours souhaité. La réponse sera personnalisée puisque tout se déroule en nous, par nous, à travers et pour nous.

Certaines personnes parleront alors de programmation ou de dynamique mentale, d'autres, d'hypnose ou de training autogène, d'autres encore, d'autosuggestion, de conditionnement mental ou de contrôle du subconscient par le conscient... Toutes ces appellations sont sans doute valables, mais dans ce livre-ci, nous emploierons les termes «prière» ou «méditation» pour désigner l'union consciente du coeur et de l'esprit individuels avec l'Esprit et l'Amour universels. Il peut sembler étrange de parler de l'union de réalités qui n'ont jamais été séparées et qui ne peuvent l'être, mais nous sommes bien obligés de partir de notre état de conscience actuel. La pratique nous amènera à réaliser de plus en plus que nous sommes éternellement unis à Dieu dans les moindres aspects de notre être.

La prière est un exercice facile qui n'exige pas nécessairement que l'on se retire du monde pour s'isoler dans une caverne, un monastère ou un ashram. Pour certains, cette pratique constituera un état mental presque permanent alors que pour d'autres, elle ne prendra que quelques instants de la journée; cela est bien sûr proportionnel aux buts individuels de chacun et à l'intensité de sa foi. Quand nous disons «prière», nous ne parlons pas du récit mécanique de textes mémorisés, exécuté par devoir, pour «expier ses péchés» ou pour «gagner son ciel», ou parce que l'on appartient à telle organisation religieuse. La prière personnalisée faite avec foi et en toute conscience aura une efficacité qui ne se compare pas avec la répétition de formules toutes faites que l'on récite la plupart du temps en pensant à autre chose.

La prière est un exercice merveilleux qui apporte beaucoup de satisfaction intérieure. Plus nous nous y adonnons, plus nous obtenons des résultats précis dans notre existence et mieux nous maîtrisons tous les aspects de notre vie. En réalisant nos souhaits les plus chers, notre confiance augmente et notre connaissance grandit. Nous en venons à prier de plus en plus naturellement et efficacement pour notre plus grande joie. Nous nous approchons toujours plus de la Connaissance réelle, de la Puissance effective et de la Joie parfaite car nous avons retrouvé notre véritable identité, notre vraie place par rapport au Tout et la juste façon de nous relier à Lui.

III
La foi

La foi n'a rien de nébuleux ou de mystique; en fait, nous en faisons l'expérience à chaque instant de notre vie. Ne parlons pas de la foi en Dieu ou en quelque Réalité suprême, mais référons-nous simplement au fait de croire en soi, condition essentielle à n'importe quel accomplissement, démarche ou entreprise. En fait, tant que nous n'avons pas réalisé un rêve, concrétisé un projet ou acquis une connaissance particulière, notre seul espoir est de croire qu'un jour nous atteindrons le but que nous nous sommes fixé.

Notre objectif n'est pas de définir la foi ni d'en élaborer une théorie, mais plutôt d'édifier une pratique. C'est en forgeant qu'on devient forgeron!

Nous connaissons déjà assez bien ce qu'est la foi pour y avoir recouru continuellement depuis notre enfance. Bientôt nous apprendrons et maîtriserons l'art d'utiliser la foi consciemment et délibérement pour atteindre tous nos objectifs.

À vrai dire, nous sommes sans cesse obligés de vivre par la foi parce que nous ne connaissons rien véritablement. Les meilleurs spécialistes de n'importe quel domaine en arrivent tout au plus à une description approximative de certains phénomènes mais en aucun cas ils ne peuvent identifier l'essence même de ces phénomènes. Prenons, comme exemple, le cas du feu. Nous pensons tous savoir ce qu'est le feu parce que nous pouvons en décrire certaines caractéristiques: le feu éclaire et réchauffe, il est coloré, il bouge, on peut s'en servir pour accomplir un travail, etc. À partir de ces connaissances, nous pouvons utiliser le feu pour nous chauffer, nous nourrir et faire fonctionner toutes sortes de machines. Mais qu'en est-il de la nature réelle du feu? Nous pouvons dire bien sûr qu'il s'agit d'une force, d'un pouvoir, d'une énergie... Mais si nous tentons ensuite de définir l'énergie ou la puissance, nous recommençons le cycle des questions et réalisons finalement que nous n'avons pas de réponse!

Il en va de même pour l'eau, l'air et la terre... bref, pour toute chose: les idées, les émotions, le corps, l'identité personnelle, etc. Qu'est-ce que la vie, l'amour, la lumière, l'esprit? N'importe quel chercheur sérieux et sincère s'avouera incapable de donner une réponse satisfaisante à ce genre de question. Pourtant nous pensons, aimons, travaillons, vivons toutes sortes d'expériences et nous demeurons convaincus que tout cela est bien réel. Puisque nous ne savons pas vraiment de quoi il est question exactement, force nous est d'admettre que nous vivons et progressons seulement sur la base de ce que nous croyons. La foi fait donc partie intégrante de nous et nous ne pouvons nous en séparer tant que nous ne nous connaissons pas.

Nous observons des manifestations infiniment variées de la vie — du brin d'herbe au mouvement des galaxies — sans pouvoir vraiment les définir. Certains scientifiques consacrent leur vie entière à étudier une seule forme de vie et à la fin, ils ont le sentiment de n'avoir épuisé qu'une infime partie du sujet.

La peur, mauvaise conseillère

Devant son ignorance, l'être humain réagit de deux façons, par la peur ou par l'émerveillement. La peur se reconnaît à toutes sortes de comportements: d'aucuns refusent de continuer à se poser des questions pour ne pas perdre le contrôle et devenir fous et se lancent dans mille et une activités de travail ou de loisir afin de ne pas penser; d'autres déclarent que tout est absurde et que c'est là la meilleure réponse à toute interrogation; certains affirment avoir élaboré la théorie qui explique tout; d'autres prétendent que la solution consiste à adhérer à telle ou telle doctrine religieuse et que la connaissance leur sera donnée après leur mort; des scientifiques élaborent des théories compliquées sur le comportement humain et les manières de l'améliorer; d'autres individus partent à la conquête du pouvoir et de la richesse matérielle... Quoi qu'il en soit, la peur est presque toujours mauvaise conseillère; les personnes qui vivent avec ce sentiment quittent le monde dans l'ignorance et avec l'impression de ne pas avoir compris ou accompli grand-chose, de ne pas avoir réalisé ce qu'elles étaient et de ne pas avoir découvert le sens exact de la vie.

Nous ne prétendons pas qu'il vaudrait mieux arrêter la recherche scientifique ou que le progrès technologique et la conquête du pouvoir matériel sont inutiles et mauvais. Tout cela est nécessaire, essentiel et même inévitable: le principe d'évolution inhérent à la Réalité l'exige. L'important est de nous rappeler le but ultime que nous poursuivons et l'état d'esprit dans lequel nous devons agir. Lorsque nous observons la vie d'une ruche ou d'une fourmilière, nous sommes émerveillés devant l'organisation de ces sociétés et la spécialisation de chacun de ses membres. Sur le plan instinctuel, nos sociétés humaines s'apparentent à ce mode de fonctionnement, sauf que notre degré de sophistication est beaucoup plus élevé. L'être humain a l'avantage d'être doté d'une suprastructure mentale: il pense, se souvient, imagine, raisonne, compare, juge, critique. Il a la capacité de créer; il lui faut changer ses comportements, sortir de la routine et du strict processus des instincts pour analyser, comprendre et innover. De plus, il a la possibilité de réaliser sa véritable nature, son essence réelle. Il est le seul, sur terre, à avoir cette chance.

Avec une innocence d'enfant

L'attitude qui va de pair avec la peur est celle de l'émerveillement. Devant tant de mystère et d'inconnu, en face de cette variété infinie et de cette complexité inextricable, vis-à-vis tant de grandeur et de petitesse dans tous les domaines, l'être humain s'étonne et s'exclame: quelle fantastique expérience, quelle fabuleuse puissance, quel magnifique accomplissement et prodigieux miracle que tout cela!

Retrouvons donc notre innocence d'enfant et avouons que nous sommes ignorants. Lorsqu'on demande à un enfant ce qu'est le feu, il répond: «Je ne sais pas» ou «c'est chaud» ou «c'est cela.» Il ne se lance pas dans de longues explications sur l'énergie, la combustion ou la composition des molécules d'un objet qui se consume, à moins qu'un adulte l'ait persuadé qu'il s'agit là de la vraie réponse. L'ignorance manifeste de l'enfant ne l'empêche pas de s'amuser et d'être heureux, d'apprendre et de grandir. Nous savons tous, au contraire, que les enfants sont les êtres les plus curieux de la terre et qu'ils ont une soif inépuisable d'apprendre et de comprendre. Les grands savants et les génies sont souvent, à leur manière, de grands enfants.

Admettre notre ignorance n'a rien de dévalorisant. Cette attitude, au contraire, nous permet de nous ouvrir et de jouir à nouveau des plaisirs de la recherche et de la découverte. Il ne s'agit pas, dans l'immédiat, de devenir tous des chercheurs à plein temps de la Vérité ou de la Connaissance, mais plutôt d'intégrer à nos vies une façon différente de penser et de réfléchir qui nous apportera lumière, clarté d'esprit et puissance.

Nous reconnaissons que nos pensées sont créatrices et qu'elles constituent l'étape préalable aux différentes activités que nous devons accomplir pour les exprimer dans la matière. Nous sommes également en mesure d'affirmer que la foi est absolument essentielle dans ce processus de matérialisation: elle en est, en fait, le moteur. Rien ne se produira si nous ne croyons pas qu'une idée ou un projet ne peut être réalisé et si nous n'avons pas confiance en nous. Lorsque nous avons appris à nager par exemple, nous en avons d'abord conçu le projet mentalement. Puis nous avons cru que cela pourrait se faire et nous nous sommes fait confiance à nous-mêmes ainsi qu'à nos instructeurs avant de nous exercer dans l'eau, mais la vraie maîtrise de la connaissance théorique et technique des principes de la natation nous est venue avec la pratique.

Il en va de même au niveau mental: nous ne savons pas exactement ce qu'est la foi, nous ne connaissons pas l'essence d'une pensée, nous ne savons vraiment pas qui nous sommes, mais nous avons tous entendu parler des miracles de l'esprit et de la foi. De nombreux individus dans le monde ont accompli des exploits inimaginables parce qu'ils ont cru et n'ont pas cessé de croire. Cela devrait suffire à nous convaincre!

Nous possédons tous en nous la lampe magique et nous nous en servons continuellement pour «créer» notre corps, notre travail et les circonstances de notre vie; mais la plupart du temps, nous le faisons sans en être conscients, au gré de nos émotions et sous les influences de notre environnement. Dès maintenant, nous allons apprendre à maîtriser de façon constructive et positive tous les aspects de notre existence, en utilisant consciemment la foi, alliée au pouvoir créateur de notre esprit. Nous ferons apparaître des miracles dans notre vie spirituelle, sentimentale, physique et matérielle et cela, à partir d'une seule et même source: notre esprit.

Un outil pour réaliser tous nos rêves

Le secret de la lampe d'Aladin consiste à comprendre que toutes les idées ou pensées auxquelles nous accordons notre attention et notre foi se matérialisent dans notre corps et notre vie et que, par conséquent, nous possédons un outil extraordinaire pour réaliser tous nos rêves. La prière constitue une technique d'application de ce principe. En priant, nous unirons de façon cohérente notre coeur (foi en l'accomplissement de notre désir) à notre pensée (conceptualisation de ce souhait). Bien sûr, nous prions constamment mais nous le faisons d'une manière désordonnée, sans méthode ou habitude précises et nous en obtenons souvent des résultats contradictoires. Nous demandons à notre génie intérieur de nous donner de l'argent et, cinq minutes plus tard, de ne pas nous en fournir: nous rêvons d'être riches puis nous pensons que nous ne sommes pas nés pour cela; nous souhaitons la paix de l'esprit puis nous entretenons de la rancune envers les autres; nous voulons être aimés et nous pensons en même temps que l'amour fait souffrir...

Les conditions de notre vie présente découlent directement des pensées que nous avons entretenues antérieurement et que nous continuons de cultiver plus ou moins consciemment. C'est l'esprit qui crée. Il serait laborieux et surtout inutile de vouloir contrôler toutes les pensées qui occupent notre esprit: leur abondance dépasse la capacité de concentration humaine. Reconnaissons néanmoins qu'elles résultent d'une certaine forme de conditionnement et que nous avons le pouvoir de transformer les mauvaises habitudes en attitudes plus justes. L'arbre, y compris ses branches et ses feuilles, guérit lorsque la racine est traitée. Évidemment, ce travail de restructuration nécessite de la patience car la forme actuelle de notre esprit a déjà pris une orientation particulière. Il se peut donc que le reconditionnement soit douloureux au début, comme lorsque nous voulons nous remettre en forme physique après plusieurs années d'inactivité. Mais cela se fait: plusieurs l'ont fait!

Sachons au départ que nous ne sommes pas seuls; il se trouve toujours un bon livre pour nous aider au moment opportun, ou une personne éclairée pour nous encourager.

Rappelons-nous que quelle que soit la difficulté que nous rencontrions, la solution se trouve toujours d'abord à l'intérieur, dans l'esprit, avant de se manifester dans notre vie. Prenons dès maintenant la décision de ne plus chercher seulement à l'extérieur les solutions à nos problèmes, mais de toujours les puiser d'abord à l'intérieur de notre coeur et de notre esprit. Nous verrons plus loin comment et sous quel éclairage.

IV

L'Esprit

Un soir, à Hardwar, en Inde, je m'apprêtais à prendre le train de nuit pour New Delhi, d'où je devais m'envoler le lendemain pour le Canada. J'avais mon billet en main, mais n'avais pas pris la précaution de réserver à l'avance un siège ou une couchette, ce qui constitue un risque élevé dans ce pays de près de 800 millions d'habitants et où le train est le moyen de transport le plus utilisé. En temps normal, un tel oubli ne cause pas de problème majeur, mais en cas de fête religieuse par exemple, il est essentiel de planifier ses déplacements plusieurs semaines à l'avance et d'obtenir des réservations dans tous les moyens de transport publics que l'on se propose d'utiliser. Donc, je n'avais plus qu'à trouver un siège ou une couchette dans n'importe quel wagon et à payer le contrôleur sur place.

Je choisis au hasard quelques wagons, les visitai de fond en comble mais n'y trouvai aucun siège disponible. Je me retrouvai finalement dans le dernier wagon, à quelques minutes seulement du départ. Ce train était à ce moment-là l'unique moyen de transport qui put me permettre de me rendre à temps à l'aéroport et de là vers Montréal. De surcroît, un de mes meilleurs amis m'attendait à la gare ferroviaire de New Delhi; il aurait été inquiet de ne pas me voir arriver et, comme il nous était pratiquement impossible de communiquer l'un avec l'autre — le téléphone en Inde est loin d'être développé comme ici — nous nous serions tous les deux retrouvés dans une situation plus que fâcheuse!

Je voulus tenter ma chance et décidai de rester dans ce wagon, persuadé que le contrôleur me laisserait m'asseoir n'importe où, sur le plancher ou dans un coin, en échange d'un peu d'argent (en Inde ce sont toujours des choses possibles). C'est à ce moment-là que des gardes de l'armée firent irruption dans le wagon, afin d'évacuer tous ceux qui n'avaient pas de billet ou de réservation. Certains refusèrent d'obéir; il y eut des cris et même un peu de bagarre.

J'essayai de me convaincre qu'ils feraient exception dans mon cas, à cause de ma bonne figure; ils comprendraient qu'un étranger ignorant les coutumes du pays ait pu oublier une telle formalité. Lorsque je leur aurais expliqué ma situation, ils finiraient par me laisser embarquer afin de m'éviter des ennuis sérieux. Je restais à l'écart en essayant de ne pas attirer l'attention, mais en sachant que tôt ou tard, on vérifierait si j'étais détenteur d'une réservation. C'est ce qui arriva...

Comme je ne parle ni ne comprends l'hindi, je commençai à expliquer ma situation en anglais et constatai, à ma grande surprise, qu'aucun soldat ne comprenait cette langue. J'étais coincé. J'imaginai, dès lors, tous les problèmes qui m'attendaient. Alors qu'un des gardes me saisissait par le bras pour m'éconduire, je fis la prière suivante: «Seigneur bien-aimé, Maître tout-puissant, Tu vois ma situation, trouve une solution, je T'en prie!»

Comme j'allais passer la porte du wagon, il se produisit un phénomène des plus inattendus: un passager se leva d'un bond de sa couchette, se précipita vers nous et s'adressa aux gardes. Il y eut un court échange verbal que je ne compris pas, puis les gardes me relâchèrent. Le jeune homme me prit ensuite par la main et m'invita à monter sur sa couchette avec lui; le train décolla au même instant.

Ce jeune homme parlait l'anglais. Aussi je lui demandai pourquoi il m'avait aidé et comment il avait réussi à me tirer du pétrin. Voyant ma mauvaise situation (j'étais presque hors du train), il avait senti comme un devoir de me venir en aide. Il expliqua aux gardes que nous voyagions ensemble et que la couchette où il était étendu avait été réservée pour nous deux, faute de place. Inutile de dire que sur une planche de bois non rembourrée, d'environ deux pieds de large, la nuit a été des plus inconfortables... Mais j'ai pu prendre mon avion le lendemain matin, en remerciant Dieu de Sa grande générosité.

Je pourrais raconter des centaines d'anecdotes de ce genre, tirées de mes propres expériences ou de celles d'autres personnes. Vous en avez certainement vécu vous-mêmes. Malheureusement, la plupart du temps, nous ne méditons pas suffisamment ce genre d'événement qui pourrait nous inspirer et nous apporter une plus grande lumière sur nous-mêmes et sur la Réalité. Nous avons tendance à le considérer comme un fait normal et naturel ou même anodin alors qu'il y a là de quoi nous étonner et nous émerveiller. Nous sommes tellement habitués de vivre, de voir, entendre, penser, sentir, manger, digérer, guérir, jouir et souffrir de toutes sortes de manières que nous oublions que tout cela relève du mystère le plus merveilleux et du miracle le plus formidable.

Interprétons maintenant l'anecdote du train, afin d'en tirer quelques lumières et de transposer ces révélations dans toutes les sphères de notre activité mentale et physique. Un désir m'animait: celui de retourner dans mon pays le lendemain matin. Un but précis s'était formé dans mon esprit: prendre ce train immédiatement car c'était le seul moyen de satisfaire mon désir. Mais un problème majeur s'opposait à la réalisation de mon souhait, puisque le règlement m'interdisait de voyager dans ce train. La situation était sans issue. Ajoutons à cette contrainte l'intervention des gardes armés avec lesquels il m'était impossible de négocier à cause des barrières linguistiques. Enfin, la limite de temps — il ne restait que quelques minutes avant le départ — condamnait toute possibilité de solution. Qui donc aurait pu imaginer que cette histoire connaîtrait un dénouement heureux et presque magique? J'aurais été tout à fait incapable d'inventer un tel scénario. En admettant que ce fut le cas, il m'aurait fallu du temps pour l'élaborer et trouver ensuite quelqu'un pour jouer le rôle du sauveteur. De toute évidence, j'aurais eu du mal à accepter l'idée qu'un passager veuille partager toute une nuit une couchette d'à peine deux pieds de large avec un inconnu.

La sagesse parfaite de l'Esprit

Sans m'en rendre compte, j'ai frotté la lampe d'Aladin de la bonne façon et j'ai obtenu la réponse tout à fait indiquée à la satisfaction de mon désir et à la réalisation de mon plan. J'ai adressé une «prière» précise à l'Esprit omniscient, en comptant sur sa Sagesse parfaite en tout et sur sa Bienveillance pour moi en particulier. En fait, je n'avais d'autre choix que de m'en remettre à Lui pour me sortir de cette situation, étant incapable de le faire avec mes propres moyens.

Il est essentiel de souligner qu'il n'y eut aucune recherche active de solution. Une pensée, sous forme de demande, a été exprimée mentalement et j'ai été contraint de m'abandonner et de m'ouvrir pour accueillir une réponse totalement inconnue. Ce qu'il y a d'étonnant dans tout cela, c'est l'originalité de la réponse et le fait que l'acteur principal du «sauvetage» a réagi à une impulsion intérieure dont il ne connaissait pas la source exacte. Il m'appartenait, bien plus qu'à lui, d'identifier cette source.

Nous sommes forcés de reconnaître qu'il existe un Esprit, plus grand que nous, dans lequel nous vivons tous, auquel nous avons directement accès de l'intérieur ou par l'extérieur et qui répond efficacement aux demandes sincères que nous Lui adressons. Même si nous n'en connaissons pas la nature exacte et toutes ses voies d'accomplissement, cet Esprit nous est très familier et Il répond de façon personnelle lorsque nous nous adressons à Lui. Il ne fait pas de différence entre les cultures des hommes. Dans mon histoire, la communication s'est établie entre mon ami indien et moi avec un résultat magnifique.

Il importe peu, à ce stade-ci, de savoir si cet Esprit est personnel ou impersonnel, ou ni l'un ni l'autre, ou les deux à la fois ou encore beaucoup plus que cela. Les découvertes que nous ferons au cours de ces démarches individuelles en vue de Le connaître davantage, seront beaucoup plus extraordinaires et plus riches que tous les mots que nous pourrions utiliser pour tenter de Le circonscrire intégralement.

Reconnaissons pour l'instant qu'il existe une Puissance-Conscience spirituelle à laquelle nous sommes reliés, puissance qui «entend» les demandes de notre coeur et y répond de façon appropriée, sans que nous ayons à lui suggérer les éléments de la réponse. En apparence, cet Esprit semble indépendant de nous. La solution au «problème du train», par exemple, s'est élaborée et actualisée à l'insu des «esprits» individuels concernés, bien qu'elle se révélât m'être infiniment personnelle après que l'Esprit eut entendu et reçu ma prière. Nous pouvons aussi conclure que cet Esprit est le même pour chacun de nous puisqu'Il a communiqué mon besoin de même que la solution idéale à mon «sauveur» indien: ce dernier a eu l'inspiration juste et il a posé les gestes qu'il fallait pour que je sois libéré de l'impasse.

De tout temps, les êtres humains ont cru en ce grand Esprit et Lui ont donné toutes sortes de noms, de formes et d'attributs. L'impressionnante diversité des formes religieuses actuelles et l'impossibilité, quelque effort qu'on tente, de circonscrire la nature de Dieu tant Il est grand, ont de quoi nous étonner et nous émerveiller.

Ce qui importe c'est d'arriver à établir une saine relation avec la Réalité et d'obtenir des résultats gratifiants dans notre vie personnelle. À la question «Qui est Dieu?», l'enfant répond: «Je ne sais pas.» Retrouvons cette fraîcheur, cette honnêteté et cette spontanéité! Celui qui croit tout connaître, ne sait pratiquement rien; celui qui prétend en savoir long, ne connaît habituellement pas grand-chose; celui qui dit en connaître un peu, en sait déjà beaucoup; et celui qui a l'impression de ne presque rien connaître, est souvent celui qui en sait le plus. Dans notre démarche, c'est cette dernière attitude qu'il faut privilégier: simple, ouverte, humble, honnête et «payante.»

Toutes les théories au sujet du Divin, aussi brillantes, sophistiquées et parfaites qu'elles puissent paraître, sont vaines si nous ne pouvons nous en servir aujourd'hui pour rendre notre vie plus lumineuse, plus puissante et plus joyeuse. Qu'il y ait un ciel ou un enfer, ou trois personnes en Dieu, ou une vie après la mort, ou avant la vie, qu'il existe d'autres mondes physiques ou surnaturels, tout cela peut être très intéressant à savoir, mais rappelons-nous que c'est ici et maintenant que nous vivons. Le fait de vivre constitue un miracle en soi, un miracle riche de beaucoup plus de valeur et de signification que tous les systèmes métaphysiques ou religieux.

Réaliser la Vérité

Nous n'avons pas intérêt à élaborer une théorie du Divin, de l'Esprit ou de la Réalité, mais plutôt à nous exercer à en faire une expérience de plus en plus consciente dans tous les domaines de notre vie. Évitons même le piège de l'intellectualisation de Dieu; c'est justement l'illusion de la «connaissance» qui risque de retarder notre évolution. Partons de ce que nous croyons connaître pour plonger dans l'expérience vivante et réaliser la Vérité telle qu'Elle est.

Jésus le Christ disait: «Il est plus difficile à un riche d'entrer dans le Royaume des Cieux qu'à un chameau de passer par le chas d'une aiguille.» Parlait-il des gens qui possèdent beaucoup d'argent et de biens matériels? de ceux qui brassent des affaires et s'occupent de questions pécuniaires? Il ne fait aucun doute que le Maître se situait toujours au niveau spirituel. Il parlait davantage de richesses mentales, c'est-à-dire des concepts et des thèses qui hantent l'esprit des personnes très développées intellectuellement, et qui les empêchent de reconnaître leur ignorance et de s'ouvrir simplement à la vraie Lumière.

Il est bon de discourir sur l'amour et l'amitié mais nous savons que notre véritable satisfaction vient, non pas de la lecture d'un livre sur ces sujets, mais plutôt de l'expérience que nous en faisons. De même, ce n'est pas en connaissant les meilleures théories en économie et en finance que nous nous sentirons en sécurité: il est plus satisfaisant et rassurant d'avoir un compte en banque bien garni. C'est dans cette optique que nous nous relierons au Divin, c'est-à-dire non pas dans le but d'en construire une théorie, mais bien pour L'intégrer à nos occupations ou préoccupations et en tirer profit. Et nous le ferons simplement, tels que nous sommes, avec notre coeur et notre esprit, comme ils sont maintenant.

Les maîtres et génies spirituels de toutes les religions ou voies de réalisation de Soi ont utilisé, pour évoluer, des méthodes et des techniques variées et souvent même contradictoires, du moins en apparence. Le dénominateur commun à toutes ces méthodes et techniques est toutefois la pratique régulière. C'est à l'usage que la goutte d'eau en vient à faire sa marque dans le rocher. Ainsi, lorsque nous avons appris à marcher, nous sommes tombés et avons dû nous relever des centaines de fois avant d'y parvenir. Il en va de même au niveau spirituel.

Lorsqu'on aborde le sujet de la spiritualité, beaucoup de gens éprouvent un sentiment voisin de la nausée; ils s'affolent, deviennent agressifs et affirment qu'ils n'ont pas l'intention de changer leurs croyances ou leur religion, ou que la vie est trop courte pour commencer à se priver de ses plaisirs! Qu'on se rassure: il ne sera aucunement question de restriction ici. Au contraire, notre spiritualité nous apportera une plus grande santé dans tous les domaines, et des plaisirs profonds et satisfaisants dans toutes les activités de notre vie.

Revenons à l'histoire du train. Elle montre bien que l'Esprit peut être personnel, compte tenu de notre manière de nous adresser à Lui ou selon la façon qu'Il a de nous entendre. Cette Intelligence connaissait la solution exacte à mon problème, et ce, indépendamment de nous, bien qu'Elle fût en relation avec nous. Comme l'Esprit agit de même pour tous ceux qui s'adressent à Lui avec l'espoir sincère d'atteindre un objectif ou un idéal, nous pouvons affirmer que cet Esprit est omniscient, c'est-à-dire qu'Il sait tout et qu'Il possède toutes les réponses possibles. Nous pouvons également conclure qu'Il est omnipotent, car qui sait tout dans les moindres détails et dans tous les domaines, peut accomplir n'importe quoi! Si cet Esprit est identique pour chacun de nous et qu'Il est accessible à tous, Il est certainement présent dans tout le Cosmos. On dit généralement de Lui qu'Il est omniprésent et infiniment grand. On reconnaît aussi en Lui la générosité puisqu'Il répond toujours chaleureusement aux demandes sincères que nous Lui adressons, comme Il répond certainement à tous les êtres vivants, conscients et répandus dans toutes les galaxies du Cosmos. On Lui attribue enfin une Bonté infinie, bonté que nous pouvons vérifier dans les moindres détails de notre vie.

Pour les fins de notre démarche, prenons les meilleures descriptions que l'on fait du Divin dans tous les systèmes religieux ou métaphysiques et nous aurons tout ce qu'il faut pour progresser rapidement. Nous reconnaissons, ainsi qu'il est dit, qu'Il est la Toute-Connaissance, la Toute-Puissance, le Créateur, le Principe de toute vie, notre Parent, l'Âme Suprême, l'Esssence de tout ce qui est, la Source même de l'Amour, de la Joie, de la Beauté, de la Bonté et de la Paix, l'Intelligence, l'Ordre et l'Harmonie, l'Ami et Amant véritable, le Protecteur et Conseiller bienveillant, le Seigneur et Maître absolu... Souvenons-nous qu'ici et maintenant, Il nous est infiniment proche: nous pouvons nous mettre en rapport direct avec Lui, n'importe quand, dans n'importe quelle circonstance et ce, sans avoir besoin de Le chercher puisqu'Il est à l'intérieur même de notre esprit et de notre coeur.

Les maîtres zen disent: «Quand le doigt montre la lune, l'imbécile regarde le doigt.» Ne faisons pas cette erreur, cessons de nous référer aux descriptions et aux théories. Le fait de parler de quelqu'un pendant des heures ne suffit pas à nous le faire connaître; nous ne parvenons à sa connaissance que lorsque nous l'avons rencontré personnellement et que nous nous sommes ouverts l'un à l'autre. Le génie de la lampe magique est en nous. Croyons à notre pouvoir de nous relier à lui et exerçons-nous régulièrement à utiliser ce pouvoir: nous maîtriserons ainsi de mieux en mieux notre nouvel art et nous en obtiendrons des résultats de plus en plus magnifiques.

Les gens qui prétendent ne pas avoir le temps de s'occuper de toutes ces «bondieuseries» parce qu'ils ont suffisamment de problèmes à régler et d'activités à accomplir sont en fait les meilleurs candidats à cette forme de spiritualité: ils bénéficient d'une foule d'occasions de se mettre en relation avec l'Esprit éternel et infini. Cette pratique n'exige pas de temps supplémentaire mais implique plutôt une nouvelle attitude mentale. Elle nous amènera graduellement à cesser de nous fier uniquement à notre être personnel et à ses moyens limités, pour nous associer à notre Être plus grand — l'Esprit vivant en nous et à travers nous — afin de surmonter nos difficultés et atteindre nos objectifs.

V

Le pardon

Quel soulagement, quel sentiment de libération nous éprouvons lorsque quelqu'un à qui nous avons fait du tort nous pardonne! Quel bienfait ressentons-nous également lorsque nous pardonnons à celui qui nous a blessé, qu'il s'agisse de notre enfant, d'un collègue de travail ou d'un ami: l'amour, l'amitié, le réconfort nous envahissent à nouveau, et nos pensées, nos sentiments et comportements s'ouvrent alors sur une perspective plus positive!

Dans le présent chapitre, nous ne demanderons pas le pardon de nos «péchés» afin de redevenir «la bonne personne» que la société aimerait que nous soyons. Nous ne nous pardonnerons pas à nous-mêmes d'être des «pécheurs» invétérés, en demandant à un Dieu despotique de nous punir afin d'expier tout le mal que nous avons fait. Nous n'aurons pas non plus à nous humilier devant un Dieu de terreur ou un ministre du culte moralisant, ou devant notre super-ego punitif. Nous ne nous plaindrons pas jusqu'à ce que quelqu'un, pris de pitié, nous dise: «Ça va, je te pardonne.» Il est difficile de s'extraire de ces cercles vicieux où on passe son temps à s'accuser de toutes sortes de méfaits. En effet, plus on se considère comme un pécheur, plus on cherche à se protéger de soi-même et à se contrôler de mille et une façons afin de ne pas commettre de «péchés», et plus on souffre lorsqu'on se trompe. Ce processus n'en finit pas et ne sert pas à grand-chose, si ce n'est de nous faire prendre conscience qu'il faut en sortir.

Les enfants du Divin

La seule erreur que nous devons reconnaître et corriger est notre sentiment de séparation d'avec le Divin. Ce sentiment entraîne en effet tous les problèmes et difficultés souvent insurmontables dans lesquels nous sommes impliqués. Il engendre la peur, la haine, l'anxiété, le ressentiment, la rancune, la culpabilité, la honte, la solitude... Nous construisons notre propre prison lorsque nous croyons être séparés ou isolés de Dieu. Si nous nous considérons comme une partie intégrante d'un Réel indivisible, un fils ou une fille unique du Divin, une expression infime de la Réalité divine, vivante ici et maintenant, pourquoi serions-nous des «pécheurs» de naissance? Dieu n'est-Il pas parfait, infiniment bon et plein d'amour? Si nous sommes Ses enfants, comment ce que nous appelons le «mal» peut-il vivre en nous, avec nous ou autour de nous?

Nous n'avons pas à nous repentir de nos actions déplorables ou de nos «mauvaises pensées» comme si nous avions tendance à nous lier d'amitié avec le «malin», pas plus que nous devons nous culpabiliser de nos maladies physiques. Commettre une erreur nous oblige toujours à supporter sa conséquence désagréable et il ne sert à rien de renchérir avec un sentiment de culpabilité qui ne fait qu'accroître le problème et le rend plus difficile à résoudre. Lorsque nous vivons de nombreuses difficultés, ou que nous n'arrivons pas à guérir d'une maladie ou à nous libérer d'un problème ou d'une mauvaise habitude, c'est qu'à la base, notre conception de la situation est erronée et l'idée que nous avons de nous-mêmes, inexacte. Nous n'avons qu'une erreur majeure à corriger, à savoir la conception de notre rapport avec la Réalité ou Dieu.

L'auteur de la Genèse illustre très bien notre situation à travers l'histoire d'Adam et Ève, de l'arbre de Vie et de celui de la Connaissance du bien et du mal et de son fruit défendu. La toute petite erreur qui nous fait parfois souffrir horriblement (comme le petit grain de sable sous la paupière occasionne une douleur intolérable) consiste à ne considérer la réalité qu'à partir de l'aspect phénoménal de la dualité: c'est-à-dire le beau et le laid, le bien et le mal, le chaud et le froid, le haut et le bas, etc. Ou à l'analyser seulement à partir de nos sens, lesquels sont soumis eux aussi à la relativité (fruit défendu). Nous pouvons corriger cette erreur en revenant à une conception absolue de la Réalité, en ne reconnaissant qu'une Sagesse, qu'une Puissance, qu'une Intelligence, qu'un Amour, qu'un Dieu... (l'arbre de Vie).

Le bonheur de notre réunification

La Réalité est absolument une, indivisée, indivisible et parfaitement divine dès maintenant. Lorsque nous acceptons ce point de vue et remontons toujours à cette Source unique dans l'accomplissement de tout ce que nous entreprenons, y compris la pleine réalisation de nous-mêmes, nous nous rendons compte par l'expérience que tout s'éclaire et rentre dans l'ordre facilement. La Puissance-Conscience divine est absolue et infinie; lorsque nous faisons appel à Elle en croyant qu'Elle va nous répondre et nous satisfaire de manière parfaite, nous obtenons la paix de l'esprit et la réalisation de tous nos rêves. Si nous imposons des limites à notre relation avec le Divin, nous limiterons aussi l'expression de cette Puissance. C'est comme si nous disions à l'Esprit transcendant et immanent: «Ne t'occupe pas de moi, je vais me débrouiller tout seul!»

Cernons d'abord la «faute» et voyons comment nous pouvons la rectifier afin de voir apparaître des merveilles dans nos vies et celles des autres. L'erreur est nécessaire et sans doute voulue, car sans elle, nous n'aurions rien à solutionner. Elle nous permet de jouir de la découverte de nous-mêmes et du Réel et de savourer le bonheur de notre réunification. Nous avons besoin d'une certaine séparation initiale si nous voulons retrouver le plaisir de l'union. Les maîtres zen d'orientation koanique demandent aux novices: «Quel est le son d'une seule main?» L'élève qui recherche sérieusement la clé de cette énigme à l'intérieur des limites de son esprit est vite contraint de quitter cette structure étroite. Il entre alors dans un état d'esprit où la question ne se pose plus: il a trouvé la réponse.

Ce que nous appelons l'ego est en fait la conception que nous avons de nous-mêmes en tant qu'entité mentale et physique séparée et isolée du reste de la réalité spirituelle et matérielle. Nous avons beau dire que nous avons tous besoin les uns des autres, que nous formons une même société ou que nous faisons tous partie du genre humain, nous n'en continuons pas moins à nous sentir nous-mêmes comme étant «séparés». Il nous arrive souvent de dire que nous nous sentons bien ou mal «dans notre peau», comme si nous vivions dans une enveloppe imperméable... ou encore que nous avons pensé à quelque chose «dans notre tête», comme si le cerveau était un espace noir sur lequel s'écrivaient des idées... Nous vivons plus ou moins consciemment dans un univers personnel que nous restreignons par l'idée que nous nous faisons de nous-mêmes, de notre identité, de notre ego.

L'égoïsme, l'égotisme et l'égocentrisme ne sont que des méprises. Le fait de condamner l'égoïsme ou de lui attribuer une valeur négative, en parlant d'orgueil par exemple, ne fait qu'empirer le défaut. L'étudiant du zen devient presque fou à force de chercher la réponse dans le cadre «égoïque» de son mental isolé et étroit. De même, nous renforçons l'impression de l'ego, lorsque nous nommons «péchés» les erreurs de comportements qui en découlent... (l'arbre de la Connaissance du bien et du mal). Cela ne solutionne pas l'énigme. Il faut comprendre que c'est la perspective générale qu'il faut changer.

Toute erreur entraîne une conséquence plus ou moins problématique; il s'agit là d'une loi universelle. En fait, il est bien qu'il en soit ainsi, car nous ne pourrions jamais, autrement, savoir ce qui est réellement vrai, juste et profitable.

Le mal, l'illusion, maya: c'est la conception que nous avons de nous-mêmes, en tant qu'entités séparées ou isolées. Cette «faute originelle» est la racine de tous nos problèmes, de toutes nos maladies incurables, de tous nos problèmes psychologiques insolubles, de tous nos déboires financiers, de tous nos troubles et de toute notre misère.

S'ouvrir à la lumière d'En-Haut

Nous sommes des parties intégrantes d'un système spirituel et matériel, infini et vivant ici, maintenant. Nous sommes des manifestations infimes et partielles mais non isolées de la Réalité totale. Nous sommes aussi des expressions individualisées et distinctes, mais non séparées, de l'Esprit et de la Matière conjugués.

Nous devons en premier lieu nous ouvrir à cette conception et changer notre point de vue mental et émotif. Faisons le pari que nous n'avons rien à perdre à considérer notre existence dans cette nouvelle perspective et à vivre dans l'état d'esprit correspondant.

Attendons-nous à ce que nos vieilles habitudes mentales et les comportements habituels de notre corps résistent souvent et nous ramènent, à notre insu, à notre ancienne façon de voir. Nous ne pouvons exiger un changement radical et rapide, et nous aurons souvent besoin du pardon libérateur pour nous soulager de notre fardeau et nous ouvrir de plus en plus à la lumière d'En-Haut.

Pratiquons régulièrement cet exercice simple et facile: cinq ou dix minutes par jour, dans notre lit ou un fauteuil, ou dans tout autre lieu où nous pouvons être tranquilles (en voiture, en métro, au restaurant), détendons-nous, mettons de côté pour quelques instants toutes nos préoccupations quotidiennes et déclarons mentalement ou verbalement quelque chose comme:

L'Esprit Tout-Puissant et infiniment Bon est ici et maintenant. Je vis en Lui et Il vit en moi. Nous sommes unis. Je me pardonne complètement et définitivement de m'être séparé inconsciemment de cette Réalité, car je ne savais pas ce que je faisais. Je suis en paix. Je pardonne également à tous ceux que je connais car nous avons tous fait la même erreur et ne sommes pas plus condamnables les uns que les autres. Le Divin nous remplit tous maintenant de Son amour et de Sa liberté.

Répétons cette prière plusieurs fois pour en imprégner notre mental et poursuivons nos obligations quotidiennes. Lorsqu'en pleine activité, nous prendrons conscience que nous sommes en train de nous en vouloir à nous-mêmes ou de ruminer une vieille rancune envers un collègue de travail, un parent, un ami ou un confrère d'études, nous corrigerons cette attitude en pensant fermement:

Dieu plein d'amour, je m'en remets complètement à Toi. Je crois, je sens et je sais que Toi seul pense, parle et agit à travers moi et tous ceux qui font partie de mon monde. Je Te remercie de rectifier toute erreur apparente et de me replacer dans la juste perception divine de toute Réalité.

Il n'est pas nécessaire de mémoriser ce genre de formule. Nous devons être conscients de ce que nous faisons et trouver une manière personnelle de nous l'exprimer à nous-mêmes. Notre désir sincère de sortir de la prison étroite, étouffante et inconfortable de notre petit moi (ego) pour jouir de toute la Connaissance, de tout l'Amour et de toute la Paix du Divin, est plus puissant que la mémorisation de toutes les prières de la terre. Lorsque nous avons sincèrement formulé et adressé notre demande au Divin, nous devons nous abandonner et Le laisser agir.

En agissant ainsi, nous ne cherchons pas à contrôler, réprimer ou refouler nos émotions: nous créons simplement un nouvel état d'esprit dans lequel les pensées et les sentiments négatifs et destructeurs ne naîtront plus jamais. Pour mieux comprendre, prenons le phénomène de la maladie: lorsque quelqu'un souffre d'un problème physique ou mental, on essaie généralement de contrôler ou de repousser le désordre en administrant diverses drogues ou, à défaut d'autre choix, en pratiquant une intervention chirurgicale. Mais ne serait-il pas préférable d'identifier la cause du problème et de créer les conditions pour qu'il n'apparaisse jamais? Tout le monde est d'accord qu'il «vaut mieux prévenir que guérir»: c'est à cela que nous nous exercerons ici.

Ici et maintenant

Notre faute n'a pas vraiment de rapport avec le fait de croire ou de ne pas croire en Dieu, elle procède plutôt de la conception erronée que nous nous faisons de la Réalité. Plusieurs personnes affirment croire en Dieu «dur comme fer», mais elles vivent toutes sortes de désordres mentaux, physiques et matériels qu'elles parviennent tant bien que mal à contrôler, sans jamais en avoir la pleine maîtrise. Il y a quelques années, alors que je roulais en voiture avec ma nièce âgée de 3 ans, je lui ai demandé où se trouvait le soleil. Sa réponse m'a sidéré. Au lieu d'indiquer l'astre dans le ciel, elle montra du doigt sa cuisse et dit: «Il est ici.» Les rayons éclairaient et réchauffaient son corps; c'était son expérience personnelle immédiate du soleil qui comptait le plus. La vérité sort de la bouche des enfants!

Ne cherchons pas la réalité divine dans quelque paradis lointain: c'est ici même et en ce moment qu'elle nous est accessible. Sachons découvrir cette réalité avec le même intérêt que nous manifestons à l'égard d'un cadeau de valeur. Nous pouvons nous ouvrir au Divin, dans notre vie de tous les jours, et réaliser de mieux en mieux Sa présence constante en nous, par nous, avec nous et pour nous. Dieu est la source de tout ce qui est, Il en est le Créateur, la Substance même et le Produit. Il est l'Essence de la vie que nous observons partout autour de nous et en nous. Nous Lui sommes donc intimement liés dans la moindre de nos pensées, de nos émotions et de nos actions.

Dieu est la Conscience suprême et absolue. Notre conscience soi-disant isolée est une réflexion de cette grande Lumière. Il n'y a pas de division dans la Conscience, le mental ou même la matière. Nous inventons des compartiments ou des structures mentales afin de comprendre et de contrôler les différents aspects du Réel. Perdus dans ce dédale de concepts et de théories, nous finissons par croire qu'ils sont la Réalité.

Changer de conscience

Le premier geste à poser en vue d'un changement de conscience et de perspective est le pardon. Ce comportement favorise notre ouverture à la vraie Connaissance, source de Puissance et de Joie. Le pardon défait et dissout les liens qui nous entravent; nous dégage des blocages ou des écrans qui s'interposent entre nous et les autres, ou entre nous et le Divin. Il n'est pas nécessaire de comprendre l'origine et le fonctionnement de ces noeuds et de ces prisons, puisque le pardon les annihilera tous et nous en libérera. Jésus le Christ ne demandait jamais au malade désireux de guérir si son problème était héréditaire, s'il résultait de mauvaises habitudes, ou s'il était la conséquence d'un accident. Il lui suffisait de dire: «Tes péchés te sont pardonnés. Va, ta foi t'a guéri!»

Exerçons-nous à établir en nous un état mental permanent de pardon à l'égard de nous-mêmes et des autres. Nous serons surpris de constater que nous nous sentons de plus en plus libres de toute une série de pensées, de sentiments et de comportements négatifs et destructeurs. Encore une fois, rappelons-nous que nous ne commettons qu'une seule erreur et que nous n'avons qu'une seule faute à corriger: parce que nous exprimons une individualité particulière dans l'aspect extérieur de la Réalité, nous croyons que notre distinction fait de nous des êtres isolés ou esseulés. Une telle conviction provient de ce que nous ne nous référons qu'à nos sens pour atteindre la Connaissance. Mais le corps, qu'on a si souvent condamné et maltraité, n'est pas responsable de notre confusion et de notre ignorance. L'erreur a une origine mentale.

Le corps sert fidèlement l'esprit et lorsque nous divinisons ce dernier en l'unissant de plus en plus à sa source de Lumière et de Connaissance, nous observons que tout ce qui est physique s'illumine aussi; toutes nos perceptions, émotions et actions témoignent de plus en plus de cette transformation. Répétons-nous régulièrement des phrases comme celle-ci:

> Esprit tout-puissant, omniprésent et infiniment bon, je me pardonne de m'être cru séparé de Toi. Je pardonne également à tous ceux que je connais car aucun de nous n'était conscient de ce que nous faisions. Je m'ouvre entièrement à Toi afin que Tu Te manifestes totalement en moi, par moi et pour moi. Et je Te demande de faire de même pour tous les humains avec lesquels je suis en relation.

L'Esprit agit en nous

Le pardon constitue la première étape de notre réalisation: il nous ouvre à notre Moi réel et nous situe dans notre véritable rapport vis-à-vis de la Réalité. Nous découvrirons en premier lieu que tout ce à quoi nous nous sommes identifiés jusqu'à maintenant (notre histoire personnelle qui a modelé notre image de nous-mêmes) n'est qu'une apparence, une configuration mentale précise mais relative. Cette apparence nous est nécessaire dans le monde des phénomènes, mais elle nous limite et nous empêche de prendre notre essor vers un accomplissement total de nous-mêmes.

Rien ne nous oblige à croire ou à accepter aveuglément cette nouvelle thèse; mettons-la à l'épreuve et vérifions les résultats que nous en obtiendrons.

Nous ne pouvons nous infliger à nous-mêmes une plus grande punition que de vivre avec un coeur qui ignore la loi du pardon. Le Seigneur Jésus recommandait que nous pardonnions, non pas une seule fois, ni sept, ni même soixante-dix fois, mais bien soixante-dix fois sept fois, afin que nous devenions totalement inaffligeables. Nous devrions toujours répondre à l'affront par le pardon.

Nous comprendrons graduellement que ce n'est pas notre ego séparé qui pardonne, mais notre Moi réel supérieur, c'est-à-dire l'Esprit divin en nous. Lorsque nous constaterons que l'attitude et les comportements de certaines personnes à qui nous avons pardonné sans le leur dire se transforment pour le mieux et à notre avantage, force nous sera de reconnaître que Quelqu'un ou Quelque Chose d'autre fait le travail à notre place ou avec nous.

Le pardon divin est absolu et il ne supporte aucune revendication ni contestation; il est en effet dans la nature du Divin d'être infiniment bon, compréhensif et gracieux. Croire le contraire, nous blâmer nous-mêmes ou nous accuser les uns les autres des misères auxquelles nous faisons face font en sorte que les difficultés n'en finissent plus: il nous est fait selon notre foi!

Voici une formule pour nous associer au Divin:

L'Esprit divin, omniprésent, omniscient et omnipotent est par Sa nature infiniment bon et miséricordieux. Son essence est toute d'Amour, de Pardon et de Générosité. Je reconnais m'être trompé en me séparant de cette source inépuisable de libération et m'ouvre à l'instant même à son Amour qui guérit tout. Je rends grâce pour cette réunion qui me replace dans ma véritable relation avec le Réel tout entier et je remercie d'avance pour toutes les bénédictions qui s'en suivent.

Nous pouvons, selon ce qui correspond le mieux à notre personnalité, concevoir Dieu comme le Père ou la Mère, le Maître, la Puissance, la Conscience, l'Ami, le Conseiller, le Seigneur, ou l'Intelligence... L'important est de prendre conscience qu'Il nous est infiniment proche parce qu'Il est l'Origine, l'Essence et la Substance même de tout ce qui existe, et qu'Il est accessible dans notre coeur et notre esprit, en ce moment et ici même.

Dans le Bhagavad Guita, le Seigneur Krishna dit à Arjuna, Son disciple et ami, qu'Il crée et soutient d'une simple étincelle de Sa puissance toutes les splendeurs de la création cosmique, du mouvement des atomes à l'interaction des superunivers. N'est-ce pas merveilleux de réaliser que cela est en nous, autour de nous et pour nous! Bien sûr, il ne nous sera pas donné de jouir de toute cette Magnificence d'un seul coup, mais nous pouvons nous associer à cette Grandeur et commencer dès aujourd'hui à nous ouvrir à Son infinie Puissance pour améliorer tous les aspects concrets de notre vie.

Plus nous progresserons, plus nos prières deviendront personnelles et plus notre foi augmentera. Et les résultats qui découleront de notre nouvel état d'esprit nous procureront toujours plus de satisfaction. Rappelons-nous enfin que toutes ces bonnes choses qui nous arrivent ne sont pas vraiment créées par nous, mais bien par l'Esprit en nous. Jésus disait: «Ce n'est pas moi qui accomplis les oeuvres, mais le Père qui est en moi.» Décidons dès maintenant de laisser ce Père en nous accomplir toutes Ses merveilles. Commençons d'abord par nous pardonner profondément toutes nos fautes passées, présentes et futures, et faisons de même pour tous ceux qui nous entourent: c'est le premier pas d'amour vers la joie parfaite et l'accomplissement de tous nos désirs.

Lorsque nous nous retrouvons dans une situation de haine, de rancune, de ressentiment, de jalousie ou d'accusation, ou encore de blâme et de culpabilité, répétons-nous calmement mais fermement:

Dieu le Père, l'Esprit tout puissant en moi m'a définitivement pardonné toutes mes fautes et j'en suis libre. Il libère également à l'instant même tous ceux à qui j'en voulais pour quelque raison que ce soit. Je suis en paix maintenant. Merci Seigneur de prendre ainsi soin de nous tous.

ou encore:

Je suis définitivement délivré de toutes mes fausses idées et de tous les sentiments négatifs que j'ai entretenus en moi jusqu'à ce jour. L'Amour infini de l'Esprit tout puissant et infiniment bon m'envahit tout entier à l'instant même et je suis guéri. J'accepte d'être totalement libéré de mes erreurs et je pardonne moi-même profondément à tous ceux qui m'ont offensé. Merci pour cette glorieuse libération!

Au début, nous trouverons peut-être plus commode de lire et de relire les différentes formules présentées ici, mais nous en viendrons rapidement à créer nos propres prières, en restant conscients qu'il s'agit simplement de nous ouvrir à la Lumière d'En-Haut et à toutes Ses bénédictions d'Amour, de Paix et de Joie. S'il nous arrive de nous critiquer nous-mêmes ou de condamner quelqu'un d'autre, nous pouvons transformer cette pensée négative en nous disant:

Dieu remplit mon coeur de son Amour, de sa Paix et de sa Joie. Merci!

Il est possible qu'un tel exercice nous semble trop facile pour donner des résultats, mais c'est aussi simple et efficace que de faire de la lumière dans un appartement à l'aide du commutateur électrique. Notre difficulté au début ne sera pas d'établir le contact et de faire de la lumière, mais plutôt de la conserver et d'en jouir continuellement. Nos vieilles habitudes mentales nous priveront souvent de cette nouvelle façon de voir; nous devrons être patients et vigilants pour comprendre comment nous nous soustrayons nous-mêmes à cette clarté et comment réorienter notre position.

Comportons-nous comme le jardinier qui surveille ses nouveaux plants et qui s'assure chaque jour que des mauvaises herbes et des insectes ne viennent entraver leur croissance, les dévorer et les faire mourir. Faisons de même avec notre nouvelle connaissance: pratiquons-nous régulièrement à replacer nos pensées dans la juste perspective et nous constaterons un jour que notre savoir s'est grandement développé et qu'il porte beaucoup de fruits.

VI

La bénédiction

Nous pratiquons la bénédiction lorsque nous souhaitons ou demandons, pour nous-mêmes et autrui, les richesses spirituelles et matérielles. En bénissant, nous renforçons la nouvelle attitude de pardon que nous établissons de plus en plus en nous et contribuons ainsi à développer notre clarté mentale. Si nous avons effectivement pardonné, nous sommes aussi d'accord pour que tous ceux à qui nous avons accordé ce pardon — y compris nous-mêmes — reçoivent maintenant l'abondance de l'Esprit.

Notre premier geste consistait à nous mettre dans une disposition d'ouverture. Dès maintenant, nous nous maintiendrons dans cette nouvelle attitude pour laisser pénétrer en nous toutes les richesses souhaitables: l'Amour, la Paix, la Joie, la Puissance, la Connaissance, la Prospérité, la Santé, etc. De même que le pardon exige l'implication de notre esprit et de notre coeur pour s'accomplir, la bénédiction demande l'investissement de notre pensée et de nos sentiments. Nous savons tous qu'aucun discours à propos de quoi que ce soit ne peut nous convaincre ni avoir un effet réel dans notre vie si notre coeur n'a pas été touché. Il en est de même pour le pardon et la bénédiction.

Lorsque le coeur n'y est pas, nous remplissons mal nos obligations et avec un sentiment de contrainte; il en résulte beaucoup de frustration et de révolte. On dit que le «coeur a ses raisons que la raison ne connaît pas»; mais il n'est pas évident que nous ne pouvons en venir à les connaître. Lorsque nous y parviendrons, nous découvrirons que ces raisons résultaient d'une certaine conception des faits, de nous-mêmes ou de la Réalité.

Quand viendra le moment de pardonner à ceux qui nous ont fait du tort — et par surcroît de les bénir — nous éprouverons sans doute une résistance de toute notre nature physique et émotive, et nous penserons peut-être: «C'est impossible, je ne lui pardonnerai jamais cela!» Une telle réaction est normale lorsque nous vivons comme si nous étions séparés de Dieu et des autres et que nous ne sommes pas conscients que les événements de notre vie sont conditionnés par nos propres pensées. Bien sûr, lorsque la blessure est récente, la raison ne nous est pas très utile puisqu'à ce stade, le coeur est fermé. Mais une fois la tempête terminée, malgré le ressentiment, la rancune ou la colère que nous éprouvons envers la personne qui nous a blessés, nous sommes finalement les seuls à souffrir de tout ce tumulte négatif et destructeur. Notre réaction ne change probablement rien à la vie de celui à qui nous en voulons: pendant que nous nous torturons et nous infligeons les pires tourments, il se détend, joue au golf; peut-être est-il même parti en croisière ou en train de conclure une affaire en or...

Un seul Amour

Quand cela se produit, revenons à la conception de l'Arbre de Vie et pardonnons-nous profondément notre attitude: nous verrons alors la situation sous un autre angle et nous récupérerons d'un seul coup le pouvoir que nous conférons aux autres et aux événements. Reconnaissons toujours une seule Puissance, une seule Connaissance, une seule Présence et un seul Amour: Dieu ou l'Esprit divin, de Qui tout émane, et rétablissons notre véritable relation avec cette Source inépuisable de richesse ou ce Pouvoir créateur illimité. Nous pourrons ainsi recevoir et conserver tout le bien qui nous appartient de droit. Aussi longtemps que nous tenons les autres responsables de nos peines et de nos insuccès, nous entretenons notre conception d'ego séparé, nous nous privons de notre puissance et continuons d'éprouver les affres du doute, de la méfiance, de la peur, de l'impuissance et de la haine.

Dans les périodes difficiles de notre vie ou à n'importe quel moment, prenons l'habitude de toujours commencer notre effort de compréhension en nous ouvrant au Principe de toute Lumière, de toute Force et de tout Bonheur en nous laissant pénétrer de Sa clarté et de Sa libération. C'est nous-mêmes qu'il importe, en premier lieu, de soigner et guérir: faisons-le en sachant que nous serons les premiers à bénéficier de notre travail de réunification. Pour commencer, pardonnons et bénissons dans les situations qui sont plus faciles à accepter. Lorsque nous en constaterons les effets bénéfiques, il nous sera plus aisé de le faire pour n'importe quel affront ou dommage.

La personne qui nous a fait du tort, volontairement ou non, devra en assumer les conséquences, que nous lui en voulions ou non. En réalité, nous souffrons de notre propre colère, de nos peurs, de notre impuissance, et c'est de cela dont il faut se libérer. Il nous sera peut-être difficile de prier calmement au moment où nous ressentons la peine, la peur ou la haine, mais une fois apaisés, répétons-nous dans notre moi intérieur:

La Réalité est une, indivisée et indivisible. La Conscience divine et Sa Lumière toute aimante sont partout répandues et égales pour tous. Je me pardonne de m'être séparé de tout ce bien et d'avoir vécu comme si j'étais seul. Je m'ouvre entièrement à toute la Paix, la Joie et l'Inspiration de l'Esprit de toute Bonté, et maintenant, j'agis et réagis toujours selon les directives de ce Parent infiniment chaleureux. J'accepte de bon coeur que Dieu soit tout Amour pour tous ceux avec qui je vis et Le remercie de toutes les bénédictions dont Il nous fait tous profiter. Je suis en Paix.

Rappelons que c'est la pratique régulière et sincère qui nous donnera la force, le courage, l'intuition, la patience et la bonté dont nous aurons besoin pour affronter n'importe quelle situation en vainqueur; c'est-à-dire qu'elle contribuera à notre croissance vers plus de compréhension, de maîtrise et de bonheur dans l'accomplissement de tous nos objectifs.

Esprit et Matière sont un

Maintenant, révisons un peu. La Création ou la Manifestation totale est un majestueux système à la fois spirituel et matériel, ouvert, vivant et conscient, incluant l'infiniment petit à l'infiniment grand. En vérité, rien ne sépare l'individu de l'universel, l'Esprit de la Matière ou le Mental du Physique, pas plus qu'il n'existe de cloisons étanches entre ce que nous sommes et ce que nous considérons être à l'extérieur de nous: les autres, Dieu ou le reste de la nature. L'illusion mentale de la séparation vient de ce que, faute d'une meilleure connaissance, nous avons cru que nous vivions dans un corps et un esprit limités par notre individualité, au lieu de considérer que nous évoluons à travers eux, comme centre individuel d'intégration de toutes sortes d'expériences intérieures et extérieures.

Cessons de considérer notre peau comme une barrière impénétrable et apprenons à la voir davantage comme une frontière ouverte; nous comprendrons ainsi que l'Esprit et la Matière sont absolument Un, chacun dans leur ordre distinct.

Les frontières délimitant les différents pays de la terre ne changent pas la réalité «une» de la planète elle-même. Ainsi en est-il de l'être humain, bien qu'il vive selon des traditions, des coutumes, des langues et des religions distinctes en apparence. Seule l'union réelle à l'Être magnifique dans lequel nous vivons, nous permet de contrôler et de transformer idéalement notre environnement.

Nous avons déjà affirmé que le processus d'une création suit un schéma qui va de l'esprit à la matière. Nous sommes conscients que l'intervention des forces mentales dans les affaires du monde physique permet des réalisations qui ne pourraient se manifester autrement. Nous constatons aussi que plus la réalité que nous voulons transformer est inconsciente (plus la conscience y est involuée plutôt qu'exprimée), plus il nous sera nécessaire d'agir physiquement afin de parvenir au changement. Inversement, plus l'homme grandit et se conscientise, moins il est nécessaire d'intervenir physiquement dans son développement. L'être humain est le plus mentalisé de tous les êtres vivants: il peut réfléchir sur ce qu'il est, ce qu'il pense, ressent ou fait. Il sait aussi que son potentiel est infiniment plus grand que ce qu'il en réalise et il cherche sans cesse à progresser dans tous les aspects de sa vie. Enfin, lorsqu'il cesse de croître, il a l'impression que la vie n'a pas tellement de sens et qu'elle ne vaut pas la peine d'être vécue.

En appréhendant la nature du Réel, nous prenons conscience d'avoir, la plupart du temps, négligé d'inclure dans toutes nos affaires humaines la dimension la plus importante de toute cette Réalité: c'est-à-dire l'Esprit transcendant, immanent, omniscient et omnipotent. Nous nous sommes comportés à l'aveuglette. Mais aujourd'hui, nous avons la chance extraordinaire de sortir de notre inconscience et la possibilité de nous élever enfin à la hauteur de notre vraie nature.

Les considérations d'ordre théorique n'ont de sens véritable et de valeur réelle que si elles nous incitent à accomplir quelque chose de concret. Ici, nous proposons des modèles pratiques afin d'accélérer le processus de notre développement, lequel n'a pas de limite puisqu'il s'agit d'une croissance davantage spirituelle que physique. Notre évolution intérieure devra néanmoins se manifester à l'extérieur, car nous pourrions douter du caractère réel de la transformation. On reconnaît l'arbre à ses fruits!

Partir de l'intérieur

Décidons aujourd'hui même de ne plus procéder seulement de l'observation extérieure des phénomènes (l'effet) pour résoudre nos problèmes et réaliser nos aspirations: partons plutôt du point le plus haut ou le plus intérieur (la cause), c'est-à-dire l'Esprit divin qui sait tout et peut tout. Nos actions seront ainsi de mieux en mieux éclairées et guidées, et nous serons davantage assurés de la victoire. En fait, c'est un peu comme si nous cessions de chercher à tâtons un objet dans une pièce sans lumière, sans savoir exactement ce que nous voulons trouver ni où il se trouve, et que nous reprenions notre démarche du début en identifiant ce que nous cherchons (notre désir) et en faisant toute la lumière possible pour rendre notre action plus facile et plus rapide.

Nous prenons conscience que nous avons toujours possédé et utilisé la «lampe magique» lorsque nous reconnaissons que les événements et les circonstances de notre vie actuelle résultent directement de la somme de nos pensées et de notre foi. Ces pensées sont projetées constamment dans l'Esprit qui, à Son tour, les renvoie sur l'écran de l'espace et du temps, dans les phénomènes observables de notre vie. Une telle prise de conscience nous place devant une alternative: ou nous continuons comme nous avons toujours fait et répétons le même scénario jusqu'à la fin de nos jours, ou nous rectifions graduellement notre activité mentale pour nous rendre compte peu à peu que nos conditions de vie s'améliorent dans tous les domaines où nous avons spiritualisé nos pensées.

L'activité spirituelle consciente et délibérée nous permettra de recevoir rapidement tout ce que nous avons toujours souhaité dans notre vie. Mais la possession de ce pouvoir et son utilisation efficace se paient par la pratique sincère et régulière. Si nous avions la chance de trouver un vieux bijou d'une valeur inestimable, mais terni par le temps, nous nous empresserions sûrement de le nettoyer pour lui redonner toute sa beauté et sa valeur. Faisons de même avec le Pouvoir que nous venons de découvrir ou de re-connaître: pardonnons et bénissons régulièrement, débarrassons-le de toutes les idées et sentiments négatifs qui nous attiraient des difficultés et rendaient impossible l'accomplissement de nos rêves. Appliquons-nous avec enthousiasme à cette tâche: notre libération et notre croissance en dépendent!

Pardonner et bénir sont les deux temps du premier mouvement de la prière (ou de la méditation) proposée dans ce livre. La pratique régulière du pardon et de la bénédiction crée et maintient notre ouverture à l'Esprit divin, omniprésent et immanent, en nous libérant du coup de l'illusion d'ego séparé dans laquelle nous étions enfermés. Le pardon et la bénédiction sont aussi le moyen idéal de nous relier à cette Connaissance-Puissance absolue pour résoudre tous nos problèmes et satisfaire tous nos désirs.

Consacrons quelques minutes par jour à l'exercice conscient et sincère du pardon et de la bénédiction; c'est là une technique efficace d'affranchissement et de réalisation.

Répétons plusieurs fois, calmement et fermement:

Dieu est notre Père à tous et Il est aussi puissant, bon et généreux pour chacun de ses enfants. Je reconnais que nous nous trompons tous un peu de la même façon en vivant comme si nous étions séparés de Lui. Je sais maintenant que tout cela était dû à notre ignorance et je n'en tiens donc rigueur à personne. Je pardonne, bénis et libère en étant conscient que c'est le Divin qui accomplit ces choses et que tout ce qu'Il fait est parfait.

Nous tirerons aussi un grand profit à faire ce genre de prière dans des situations et pour des personnes bien précises; cela nous dégagera de l'emprise négative et destructive qu'elles peuvent avoir sur nous, tout en apportant des solutions positives et constructives auxquelles nous n'aurions jamais pensé auparavant. Ainsi, dirons-nous plusieurs fois:

L'Esprit divin est tout de Connaissance, de Puissance et de Joies infinies. Il est tout Pardon et toute Bonté et Il répand maintenant sur moi-même et sur «untel» ou toutes les personnes impliquées dans cette situation qui me donne tant de mal, tout Son Amour et Sa Paix et nous sommes tous libérés des conséquences dont nous souffrions jusqu'à maintenant. Merci Seigneur de nous pardonner notre séparation involontaire d'avec Toi et merci de nous bénir tous de toutes les Richesses de la Vie.

VII

La demande

Jésus le Christ a dit: «Demandez et vous recevrez, frappez et on vous ouvrira, cherchez et vous trouverez.» Il a dit aussi: «Si vous demandez un poisson, il ne vous sera pas donné un oeuf» et encore: «Tout ce que vous demanderez au Père en mon nom, croyez que vous l'avez déjà reçu et vous l'obtiendrez!»

Pour vérifier l'authenticité et la validité de cette instruction, il n'est pas nécessaire de remonter dans le temps afin de trouver des preuves de la divinité du Christ, ni d'étudier la Bible de fond en comble pour retracer l'annonce de Sa venue dans le monde, ou encore d'analyser Ses enseignements dans le but de confirmer leur source divine... Tout cela est une perte de temps!

La seule façon de vérifier et de confirmer cette vérité est en fait assez simple: mettons-la à l'épreuve dans l'action! En prenant pour modèle la démarche de l'homme de science qui veut vérifier une hypothèse, nous admettrons que si les leçons sont dans l'ordre de la vérité, la pratique des principes avancés devrait nous apporter les résultats annoncés. Ainsi, la cohérence de l'enseignement de Jésus et la façon éclatante dont il en faisait la démonstration — en guérissant des sourds, des muets, des aveugles ou des lépreux, en contrôlant les éléments de la nature et en ressuscitant des morts – devraient nous inspirer suffisamment pour nous convaincre d'entreprendre cette démarche.

Il est fait selon notre Foi

Tous les enseignements spirituels montrent que nous possédons en nous le pouvoir de changer toute notre vie pour le meilleur, voire pour la perfection, ici même, sur terre. Évidemment, quinze à vingt minutes de méditation positive par jour ne suffiront pas à nous apporter ce résultat si nous passons le reste de la journée à détruire ce que nous aurons tenté de construire pendant nos périodes de concentration. Il nous est fait selon notre foi, c'est-à-dire en fonction des pensées auxquelles nous donnons libre cours pendant notre activité mentale consciente. Notre méditation ou nos prières n'auront de valeur réelle que si elles modifient notre mental et le maintiennent dans cette nouvelle attitude. Il est inutile de pardonner à nos ennemis et de les bénir pendant dix à quinze minutes par jour si nous passons le reste du temps à nous blâmer nous-mêmes ou à condamner et maudire les autres. Espérer le bonheur sur terre est également futile si nous pensons constamment que la vie terrestre est une «vallée de larmes.» De même, guérir de l'alcoolisme sera une entreprise impossible si on croit qu'il s'agit là d'une maladie incurable. Il nous sera aussi très difficile d'obtenir beaucoup d'argent, de le conserver et d'en jouir si nous croyons que l'argent ne fait pas le bonheur et occasionne toutes sortes de problèmes.

La prière dite «scientifique» consiste à nous unir totalement à notre aspiration, à notre rêve, à notre désir ou à notre objectif (par exemple, la réalisation d'une entreprise, une vente, la résolution d'un problème, la guérison d'une maladie, l'obtention d'un emploi, etc.), en croyant fermement à l'accomplissement de ce projet et en n'acceptant aucune autre pensée (doute, crainte) par amour pour nous-mêmes. Notre activité mentale est en relation intime avec l'Esprit tout-puissant en nous et elle active d'une manière positive ou négative Son pouvoir créateur. Observons les réflexions que nous nous faisons régulièrement à nous-mêmes, ou les remarques d'autrui que nous appuyons mentalement, et nous constaterons que nos conditions de vie leur sont directement reliées. Faisons ensuite l'expérience de bien choisir nos pensées et de les diriger consciemment dans un sens positif et constructif, et maintenons-les dans cette direction; nous verrons alors que nos expériences de vie changeront en conformité avec cette nouvelle orientation mentale.

Nous ne parviendrons sûrement pas en une seule journée à modifier des habitudes mentales de dix, vingt ou cinquante ans, mais la patience et la persévérance (la pratique régulière et sincère) viennent à bout de tout. Les premiers résultats que nous obtiendrons seront assez concluants pour nous motiver à aller de l'avant. À toutes fins utiles, nous travaillerons d'abord sur des objectifs qui semblent réalistes et nous apprendrons ainsi qu'aucun de nos rêves ne devrait être rejeté parce qu'il semble impossible à matérialiser.

Nous verrons plus loin différentes formules de prières qui pourront être utilisées en vue de la réalisation de tel ou tel bien (argent, guérison, amour, inspiration, réalisation spirituelle...). L'important sera de saisir la méthode générale utilisée pour chacune de ces formules afin de pouvoir créer nos propres prières, en fonction de notre identité et du but que nous poursuivons à un moment précis de notre vie.

Rappelons les trois aspects de la technique que nous emploierons: une conscience claire de l'Être à qui nous nous adressons, une juste perception de notre position par rapport à Lui et enfin la façon appropriée de demander et de recevoir. Nous imiterons le jardinier qui, dans le but d'obtenir un plant, doit d'abord ouvrir la terre, y déposer une graine, refermer ensuite le sol et attendre avec patience que la nature fasse son oeuvre. Nous nous ouvrirons d'abord à l'Esprit omniscient, omnipotent et infiniment bon, nous Lui ferons ensuite notre demande, puis nous nous abandonnerons à Sa Sagesse et à Sa Puissance absolues pour l'obtention de notre bien. Ainsi, nous appellerons l'Invisible vers le visible. Nous aurons besoin de la foi pour nous y appliquer avec constance (car les résultats se font parfois attendre), et nous devrons arroser régulièrement notre «plant» avec notre amour et notre bonne volonté pour le protéger des intempéries et des mauvaises herbes (l'opinion des autres, nos peurs, nos inquiétudes).

L'essentiel de la prière ne réside pas tellement dans les mots que nous prononcerons, mais plutôt dans les mouvements sincères et confiants de notre coeur. Les formules n'ont de sens que dans la mesure où elles servent à alimenter nos sentiments de confiance, de sincérité, d'amour, d'enthousiasme et de gratitude. Les phrases que nous répéterons favoriseront la création d'images mentales auxquelles nous unirons notre coeur avec amour et fidélité.

Exalter et glorifier le Divin

Pour la première phase de notre technique (l'ouverture à l'Esprit divin), nous devrions toujours amorcer nos prières en exaltant ou en glorifiant le Divin, dans le sens et l'objectif que nous poursuivons. Ainsi, si nous voulons réaliser un rêve d'amour, nous commencerons par reconnaître et contempler les attributs d'Amour de Dieu et nous déclarerons quelque chose comme: «Dieu est l'origine de toute la Réalité. Il est la source même de la Vie, de la Chaleur, de la Générosité et de tout Amour.» Ou, sous une forme plus personnelle: «Seigneur bien-aimé, Créateur et Maître de tous les univers visibles et invisibles, Tu es la source vivante de tous les bons sentiments de générosité, de compréhension, de respect et d'amour...» Si nous voulons recevoir quelque somme d'argent ou un bien matériel, il sera plus approprié de nous référer à Ses attributs de

Richesse et de Puissance en pensant, par exemple: «L'Esprit divin a tout créé à partir de Lui-même. Sa Puissance et Sa Richesse sont infinies car en fait, tout Lui appartient!» Ou plus personnellement: «Maître de tout le Réel, Tu es l'origine, le milieu et la fin de toute Ta Création; Ton Pouvoir et Ton Opulence sont absolus, et je reconnais que Tu es le véritable propriétaire de toutes choses...» Et ainsi de suite.

Il va s'en dire que nous ne connaissons pas encore Dieu, de même qu'on ne peut connaître quelqu'un après quelques rencontres seulement, mais nos rapports répétés avec Lui nous amèneront à Le découvrir de mieux en mieux. Pour l'instant, croyons et pensons qu'Il est le Créateur, l'Origine et la Fin de tout, la Connaissance, la Puissance absolue, l'Intelligence infinie, l'Amour qui embrasse tout, la Conscience suprême, l'Âme cosmique, la Richesse incommensurable, le Parent infiniment bienveillant, l'Amant sublime, etc. Nous sentirons alors que nous sommes dans la vérité ou que nous nous en approchons.

La réponse de Dieu est toujours personnalisée car elle s'accomplit en nous, par nous, avec nous et pour nous. Du fait de Sa Perfection absolue, le Divin nous est infiniment proche et aisément accessible: Il est l'Essence, la Substance et la Réalité de tout ce que nous sommes ou pensons être. Si nous Le tenons responsable de nos maux actuels, nous Lui reconnaissons en même temps le pouvoir de les enlever de notre vie. Adressons-nous à Lui de toutes les manières possibles, mais faisons-le! Nous constaterons que plus nous nous ouvrirons et nous unirons à Lui dans tous les aspects de notre vie, plus nous surmonterons nos difficultés de façon rapide et efficace, et plus nous atteindrons nos buts comme par enchantement.

L'exaltation de la grandeur et de la perfection du Divin en nous, le pardon et la bénédiction sont les principaux exercices qui nous ouvriront à l'Esprit et feront en sorte que notre réunion avec Lui soit la plus complète et la plus profitable possible.

Notre ouverture à l'Esprit divin peut se faire comme suit:

J'accepte une seule Vérité, une seule Puissance et un seul Amour: Dieu, la Personne suprême. Je crois, je sens et je sais que Sa Présence m'est infiniment proche et accessible et je m'unis consciemment à Lui à l'instant même et pour de bon. Je me pardonne de bon coeur ainsi qu'à tous mes amis et ennemis d'avoir oublié cette Réalité extraordinaire et j'appelle sincèrement toutes les bénédictions divines sur nous.

ou encore:

Seigneur, Tu es la Source et l'Essence même de toute Connaissance, de toute Puissance et de tout Bonheur. Je me pardonne facilement (et à tous ceux que je connais) de T'avoir oublié, car nous ne connaissions pas mieux. J'appelle sur nous toutes Tes bénédictions d'Amour, de Paix et de Prospérité. Je déclare aujourd'hui que je me fais Ton associé jusqu'à la fin. Merci!

Une fois comprise cette première phase de notre prière, nous sommes en position de soumettre notre demande à la Connaissance-Puissance absolue. Rappelons-nous que notre bien ne proviendra pas des phénomènes visibles, extérieurs à la Réalité, mais bien de leur Source et de leur Cause. Nous observerons, bien sûr, une série de phénomènes et de faits, mais nous ne confondrons plus l'effet avec la cause. Répétons encore une fois que l'origine de toutes choses est dans l'Esprit et que nos conditions de vie découlent des pensées que nous avons acceptées dans nos vies.

Abandonner notre désir à l'Esprit

Nous appellerons la deuxième étape de notre technique «l'ensemencement», c'est-à-dire l'abandon de notre désir à la

Sagesse infinie de l'Esprit divin tout-puissant. Nous le ferons de la façon la plus simple, la plus innocente et la plus directe possible, car l'Esprit sait tout et voit tout. Étant l'origine suprême, Dieu est par conséquent la source même de notre aspiration. Et Il n'attend qu'une chose: que nous nous en remettions à Lui pour réaliser ce rêve. Nous irions même jusqu'à avancer que toutes les difficultés que nous rencontrons sur notre route sont des moyens utilisés par le Divin pour nous faire penser à Lui et nous obliger à nous servir de Son Savoir et de Son Pouvoir.

Nous attendons souvent d'être confrontés aux pires problèmes de santé, aux situations conflictuelles les plus déchirantes, ou aux déboires financiers les plus déprimants pour nous tourner vers Lui. Pourquoi différer ainsi notre recours au Divin? Si nous désirons réaliser l'Esprit pour Lui-même, que cela soit l'objet de notre demande. Si nous voulons une maison, prions pour l'obtenir. Si nous aspirons à devenir le président de telle compagnie, demandons-le Lui. Si nous rêvons d'une relation d'amour pleine et satisfaisante, méditons sur l'accomplissement de ce rêve, et ainsi de suite. Les réflexions suivantes nous aideront à renforcer notre attitude d'abandon.

Admettons, en premier lieu, que nous ne sommes pas grand-chose en ce moment et que nous ne possédons rien: nous n'avons pas créé le moindre objet à partir de rien et nous ne savons pas qui nous sommes réellement. Nous sommes, en d'autres termes, l'infiniment petit par rapport à la Totalité absolue, l'enfant naissant dans les bras du Parent suprême, tout-puissant et infiniment bienveillant. Nous n'avons donc qu'une solution et ne pouvons occuper qu'une position: demander et recevoir.

Deuxièmement, sachons que pour le Divin, il n'y a pas de différence entre avoir et être, petit et grand, cancer et grippe, matériel et spirituel: Il est la Conscience suprême infiniment proche et loin à la fois, qui sait tout, voit tout, entend tout et peut tout. Rien ne Lui est extérieur ou étranger car Il est tout le Réel avec toute Sa Vie, tout Son Savoir, tout Son Pouvoir et tout Son Amour. Nous pouvons Lui demander n'importe quoi: Il peut nous l'accorder. Les obstacles que nous rencontrerons dans l'accomplissement de nos souhaits sont sans rapport avec Sa Puissance, mais sont plutôt une conséquence de l'étroitesse de notre foi, de notre mauvaise compréhension de ce qui se passe lorsque nous prions, ou simplement de notre manque de patience devant les délais auxquels nous devrons souvent faire face avant de parvenir à la foi absolue.

Troisièmement, corrigeons dès maintenant notre erreur qui est de croire que la Volonté divine est différente ou même opposée à la nôtre. Il n'y a qu'une seule Volonté et c'est la Sienne. S'il nous arrive de dire ou de penser: «Que Ta Volonté soit faite et non la mienne!», sachons que cette invocation a pour but de remettre la satisfaction de notre désir à l'exercice de Sa Volonté et de Sa Puissance, plutôt qu'à notre seul pouvoir, dont nous connaissons fort bien les limites. Si nous voulons être certains que notre projet réussisse, nous pourrions aussi bien affirmer: «Je veux que ce soit Ta Puissance (réelle) et non la mienne (illusion) qui agisse dans cette entreprise.» La Puissance divine étant absolue et Sa Sagesse, parfaite, nous serons infiniment plus sûrs du résultat s'Il prend en charge notre projet du début à la fin. Nous aspirons tous à nous réaliser pleinement, nous souhaitons tous l'Amour, la Paix et la Joie dans nos vies, et nous désirons tous être prospères et en santé. Toutes ces aspirations sont naturelles et dans l'ordre de la Réalité: c'est aussi ce que Dieu veut pour nous. Il souhaite que nous le fassions par Lui, avec Lui et en Lui, car c'est ainsi que nous en retirerons le maximum de Joie, pour Son plus grand plaisir.

Quatrièmement, il est possible qu'en tant que demandeur nous soyons également appelés à participer aux processus de la réponse; plus l'entreprise sera d'envergure, plus notre travail risque en effet d'être considérable. Ainsi, si nous désirons un emploi qui corresponde à nos talents, doublé d'une rémunération propre à satisfaire tous nos besoins, nous devrons sans doute entreprendre des démarches en ce sens. Mais avec Dieu comme guide, conseiller et associé, nos efforts prendront une tournure différente de celle à laquelle nous sommes habitués, et nous serons certains des résultats de notre démarche. Il est aussi possible que la réponse nous arrive comme par magie; les voies du Divin sont imprévisibles et merveilleuses.

Tout ce que nous voulons avoir et être

Formulons à Dieu des demandes directes, claires et précises avec toute notre foi et notre sincérité. Soyons comme l'enfant confiant d'obtenir de ses parents tout ce dont il a besoin. Adressons nos prières au Parent suprême, parfaitement riche et infiniment bon, généreux et chaleureux. Demandons-Lui tout ce que nous voulons avoir ou être, tout ce dont nous rêvons ou avons besoin, tout ce que nous désirons ou souhaitons. Et rappelons-nous qu'Il ne fait pas de différence entre un sou et un million de dollars! Ce sont nos sens et notre mental limités qui nous portent à en faire une.

Voici maintenant des exemples concrets de prière ou de méditation applicables aux différents aspects de notre évolution. Nous en tirerons un maximum de profit si nous les considérons, non pas comme des formules absolues et inchangeables, mais plutôt comme des prototypes pouvant nous aider à élaborer notre propre langage en fonction de notre personnalité et des buts particuliers que nous voulons atteindre. Notre démarche peut parfois même être contenue dans une seule phrase comme: «Merci mon Dieu de m'éclairer chaque jour davantage!»

L'essentiel de notre évolution réside dans la conception fondamentale que nous nous faisons du Divin, dans la régularité de nos rapports avec Lui et dans l'attitude de sincérité, de foi et de réceptivité que nous développerons au cours de notre pratique.

Voici quelques suggestions de prières formulées d'une part de façon impersonnelle et d'autre part de façon personnelle.

Prières

Pour la réalisation spirituelle :

La Réalité est absolument et parfaitement divine dans chacun de ses aspects spirituels et matériels. Cet Être est majestueusement vivant, conscient et puissant dans le moindre de Ses lieux: ici, dans le creux de mon coeur, et au bout de la nuit de l'infini lointain. L'Esprit de toute Bonté et de toute Justice nous pardonne à tous de ne pas avoir pensé à Lui plus souvent, et j'accepte aujourd'hui qu'Il m'envahisse de toute part pour que ma dimension réelle me soit donnée chaque jour davantage. Je m'unis délibérément et de bon coeur à ce Divin infiniment chaleureux et reconnais que je Lui appartiens intégralement. Acceptant d'être entièrement possédé par Lui, je deviens comme Lui et réalise de mieux en mieux ma véritable identité spirituelle. Tout cela s'accomplit par la Puissance divine et non par ma seule volonté, et je rends grâce pour tout cet Amour.

Seigneur et Maître absolu de toute la Réalité, je reconnais que Tu es le Parent de Qui tout émane, l'Intelligence parfaite qui dirige et contrôle tout ce qui est. Je ne Te connais pas encore bien et je ne sais pas qui je suis vraiment, mais je Te demande dès à présent de reprendre complètement possession de moi et de me révéler Ton identité dans toute Sa Plénitude et dans ma relation avec Toi. Je T'adresse spécialement cette prière parce que je sais que je ne pourrais y arriver par mes propres moyens: je ne suis rien et je ne peux rien, mais Toi, Tu es tout et Tu peux tout. Merci de me montrer clairement la voie et les moyens que je dois emprunter pour cet accomplissement, et merci de me donner toute la clarté d'esprit nécessaire pour percevoir Ta réponse.

Pour la libération du négatif et de l'illusoire :

Je crois en une seule Vérité, une seule Intelligence, une seule Puissance et un seul Amour: Dieu, l'Esprit divin transcendant, immanent et omniprésent. Je me pardonne aisément d'avoir pensé différemment jusqu'à maintenant, car je ne connaissais pas mieux et je refuse désormais de croire en quelque autre réalité que ce soit. Je suis par conséquent libéré de tout concept ou sentiment négatif comme la peur, le doute, la haine, la jalousie et autres «fantômes» destructeurs. Je suis maintenant totalement libre et cette nouvelle liberté est parfaitement divine. Je rends grâce pour cette transformation magnifique de tout mon être.

Mère bien-aimée, Tu prends soin de moi sans que je m'en rende bien compte, depuis ma venue au monde. Tu es le Principe de toute Création et de toute Vie. Je sais que Tu es la Mère parfaite et que Tu es remplie d'amour et de bienveillance pour moi. Je m'abandonne à Toi pour que Tu me dégages de l'emprise douloureuse de toutes les réalités négatives et illusoires. Merci de me révéler la Réalité telle qu'Elle est en vérité et merci de me libérer divinement chaque jour davantage.

Ou

Maître absolu, Seigneur tout-puissant et infiniment bon, je reconnais m'être leurré en croyant que les conditions négatives de l'aspect extérieur de la vie avaient du pouvoir sur moi. Je Te remercie de me pardonner et je veux qu'à partir d'aujourd'hui, Tu me protèges et me guides dans toutes mes entreprises. Désormais, c'est de Toi et de Toi seul que j'attends toute ma foi, ma détermination, ma connaissance et ma puissance d'action. Je Te remercie de toujours me rappeler que je suis à Toi et que par conséquent, rien ne peut faire obstacle dans ma réalisation personnelle parfaite. Je me repose en Toi.

Pour la clarté d'esprit en général :

Il n'y a qu'une Connaissance, une Puissance et un Amour: Dieu, l'Être suprême. Cet Esprit absolu me connaît mieux que quiconque car Il sait tout, voit tout et entend tout. Aujourd'hui, je comprends que je me suis trompé moi-même sans m'en rendre compte, en essayant de voir clair en moi et dans mes affaires à l'aide, uniquement, de mes moyens limités. Je me pardonne facilement et m'unis dès maintenant en toute conscience à la Source de toute Lumière et de tout Savoir en moi et autour de moi. Je suis convaincu que tout ce que je dois savoir m'est révélé au moment opportun par l'Esprit divin de toute Sagesse. Je suis parfaitement éclairé et totalement rassuré. Merci!

Père céleste, Tu as tout créé à partir de Toi-même. Tu es la Sagesse infinie et l'Intelligence suprême qui sait tout et peut tout. Tu es l'Essence et la Source de toute Compréhension et de toute Clarté. Tu es la Lumière dans toutes ses formes. Aujourd'hui, je m'en remets à Toi pour toutes les affaires de ma vie. Je crois que je suis Ton fils unique et qu'à cause de cela, Tu es prêt à tout pour moi. Inonde ma conscience de la Tienne et révèle-moi chaque jour davantage mon identité réelle et ma fonction véritable dans l'existence. Je n'essaie plus de résoudre ces questions par moi-même et je m'abandonne désormais à Toi pour toute ma clarté d'esprit. Merci Père infiniment bienveillant!

Pour notre vraie place dans la vie :

J'exalte en moi la Source unique de tout le Réel. Je reconnais que Dieu, l'Esprit vivant et conscient, est partout et que rien ne peut L'empêcher de me révéler parfaitement ma vraie place dans la vie. Dès maintenant et chaque jour de plus en plus, je fais ce que j'aime et j'aime ce que je pense, ressens, dis et accomplis dans tous les secteurs de ma vie. Je prends conscience qu'à chaque jour, ma vie change pour le meilleur et que je suis de mieux en mieux divinement guidé et inspiré pour toutes mes affaires spirituelles, mentales et matérielles. Maintenant, je crois, je sens et je sais que j'ai et que je suis à ma vraie place dans la vie. Je suis heureux et en paix.

Père infiniment conscient, c'est Toi qui crées toute Réalité. C'est Toi donc qui m'as inventé(e). Je crois que Tu es omniscient et que Tu supportes, diriges et contrôles toute Ta création, y compris ma personne. Dans Ta Bonté et Ta Générosité absolues, révèle-moi dès à présent et chaque jour davantage, ma vraie place dans la vie, mon véritable travail, mes amis fidèles, mon époux(se) idéal(e) et tout ce qu'il me faut savoir et avoir pour m'accomplir parfaitement selon ce que je suis vraiment. Je Te remercie de prendre ainsi en main toute ma vie.

Pour la guérison d'une maladie :

Je ne crois qu'en une seule Vérité, une seule Cause, une seule Présence et un seul Pouvoir: l'Esprit divin parfait. Cet Être infiniment majestueux est aussi tout Amour, et Il me pardonne complètement d'avoir pris les apparences pour la cause des expériences de ma vie. Ce Dieu parfaitement sain me guérit totalement de toutes mes peurs et sentiments négatifs, et restaure la santé parfaite dans tout mon être. La Puissance de guérison absolue du Divin agit maintenant dans toutes les cellules, tous les tissus, les os et les nerfs de mon corps, et les rend à leur perfection originelle. Je ne crois plus à cette maladie, parce qu'à partir d'aujourd'hui, je n'accepte plus qu'une seule Action dans tout mon corps, celle de Dieu Luimême. Merci pour ma guérison miraculeuse.

Seigneur tout-puissant, Tu es l'origine et la fin de tout. Dans Ta Sagesse et Ton Intelligence merveilleuses, Tu as inventé mon corps et mon esprit selon la Perfection de Ton Être magnifique. Pardonne-moi d'avoir négligé la vérité et d'avoir cru à quelque autre pouvoir que le Tien. J'accepte aujourd'hui et pour toujours que Tu reprennes totalement la direction de mon corps et que Tu le rendes à la Santé divine parfaite. Tu sais exactement comment me guérir et je m'ouvre complètement à Ton action efficace de guérison. Que toute Ta Volonté de Perfection et de Santé s'accomplisse maintenant en moi. Merci de m'entendre et de me répondre.

Pour le travail adéquat :

De toute évidence, le cosmos entier est le théâtre d'une activité constante et infiniment variée et je suis une partie intégrante de tout ce mouvement. La complexité de tout le travail qui s'accomplit continuellement est l'action diversifiée d'une seule et même Puissance et Intelligence pratiques, celles de l'Esprit divin qui crée et supporte tout ce qui existe et grandit. Je m'adresse donc à cet Esprit omniscient et omnipotent pour qu'Il me montre et me donne dès à présent le travail et la rémunération qui me conviennent. Dieu est le Patron des patrons et Il m'amène rapidement et facilement au poste que je convoite ou au travail que j'aime et qui me paie largement. Je remercie le Divin de me montrer clairement comment obtenir tout ce que je veux dans la vie.

Seigneur adoré et Maître absolu de toutes choses, c'est Toi qui crées et diriges tout le Réel et toute l'action que j'y observe, de l'activité des atomes au mouvement des univers. Tu es tout-connaissant, tout-puissant et infiniment bienveillant. Je m'adresse aujourd'hui à Toi du fond de mon coeur pour que Tu me conduises rapidement au travail particulier à travers lequel j'ai toujours voulu me réaliser. Tu connais ce poste et cette fonction et Tu sais que je peux les remplir. Je bénis à l'avance toutes les personnes susceptibles de jouer un rôle pour que j'obtienne mon travail, et je Te remercie de me donner la clarté d'esprit et tous les moyens nécessaires pour y arriver très vite. Je m'en remets entièrement à Toi pour cette affaire et je suis en paix. Merci pour mon travail parfait!

Pour la vente d'un bien particulier :

Je reconnais que le Divin S'exprime splendidement et puissamment dans toute Sa Manifestation. Les formes sous lesquelles cet Esprit intelligent S'exprime sont inattendues et diversifiées à l'infini. Il préside aussi bien à la vie végétale et à l'activité du soleil qu'à la vie commerciale des êtres humains. C'est pourquoi je m'adresse directement à Lui pour la vente à laquelle je suis présentement occupé. Mon prix est parfait dans l'ordre divin et la vente m'apporte le profit honnête que je désire. Je remets totalement à Dieu la vente de ce bien car je suis convaincu que Son Intelligence infaillible sait trouver et m'amener l'acheteur idéal dans cette affaire. Nous faisons une excellente transaction et nous en sommes tous les deux plus prospères qu'avant. Je rends grâce pour cette vente divinement réussie!

Maître absolu du Réel, Tu as tout créé et Tu es le véritable Propriétaire de tout ce qui existe. Moi-même et toutes mes affaires T'appartenons intégralement. Je suis pleinement conscient que Tu es présent partout, que Tu sais tout et peux tout. Je crois aussi que Tu es le meilleur conseiller et ami et le plus grand homme d'affaires qui soit. Aujourd'hui, je Te remets entièrement la vente qui m'occupe présentement, car je sais que Ton Intelligence parfaite réussit toujours ce qu'Elle entreprend. Je réalise profondément que c'est Toi qui me révèles le prix idéal pour ce bien et qui m'amènes rapidement l'acheteur tout indiqué dans cette affaire. Toi qui vis personnellement en nous, par nous et pour nous, Tu nous inspires mentalement et nous faisons tous les deux ensemble un marché en or. Je Te remercie pour notre prospérité grandissante. Je m'abandonne entièrement à Toi.

Pour l'amour et l'amitié :

Il n'existe qu'une Vérité, une Puissance et une Vie, celles de l'Esprit divin infiniment bon et généreux. Cet Être formidable est la Source de tout Amour, de toute Compréhension, de toute Bienveillance et de toute Douceur. C'est Lui qui s'exprime à travers moi et c'est aussi Lui qui pense, parle, agit par toutes les personnes avec lesquelles je suis en relation. Je nous pardonne à tous de ne pas avoir compris cela plus tôt et je nous bénis tous aujourd'hui pour que nos rapports soient remplis de l'Amour et de la Justice du Divin. À cause de cela, je suis de plus en plus entouré de personnes avec lesquelles j'entretiens des relations d'amour et d'amitié toujours plus sincères et satisfaisantes. Je remercie Dieu chaque jour d'embellir ainsi ma vie d'une grande richesse de beaux et bons sentiments, et je me réjouis profondément de ce merveilleux présent.

Mon Seigneur bien-aimé, Tu es la Puissance suprême, mais Tu es aussi l'Amant merveilleux et l'Ami le plus doux. Tu diriges toute la Réalité en Maître incontestable, mais Tu prends aussi personnellement soin de chacun de nous comme une mère pleine d'affection. Comme Tu vis en moi et à travers moi, Tu es conscient que j'ai grand besoin d'amour et d'amitié dans ma vie. Tu es l'Amour infini et je m'en remets aujourd'hui entièrement à Toi pour que Tu insuffles de plus en plus de compréhension, de respect, de chaleureuse proximité, de bonté et de joie dans toutes mes relations humaines. Entoure-moi des personnes avec lesquelles je peux partager sincèrement et avantageusement ces nobles sentiments. Je Te remercie de m'entendre et de me donner si rapidement l'Amour et l'Amitié dans ma vie. Je suis heureux!

Pour la maison rêvée :

J'exalte maintenant en moi et autour de moi la Présence absolue de Dieu. Le Divin est omniscient, omnipotent, transcendant et immanent. L'Esprit vivant et conscient est le Maître suprême et la Source première de toute Réalité. Je m'en remets totalement à Lui pour la satisfaction de tous les désirs qu'Il inspire Lui-même à mon coeur. Mon désir d'une maison est sain et divin et je crois que c'est Dieu qui y a pensé, qui la construit et qui me la donne. Comme Il est l'Origine, le Milieu et la Fin de tout ce qui est, l'Essence, la Substance et la Réalité de tout ce que je suis, pense et fais, Dieu connaît parfaitement la maison dont je rêve et Il me l'apporte rapidement. Elle est exactement comme je la voulais et la souhaitais, et je suis maintenant parfaitement reconnaissant de la posséder et d'y vivre rempli de bonheur. Merci à l'Esprit de me donner tout ce à quoi je rêve avec foi.

Père tout-puissant et infiniment bon, je suis Ton fils unique bien-aimé et par conséquent, j'ai droit à toutes Tes richesses matérielles et spirituelles. Tu crées et diriges tous les univers et Tu inventes et construis toutes les maisons de la terre. Je sais que Tu en as bâti une pour moi aussi et je la reçois aujourd'hui dans ma vie. Je Te remercie de nous offrir à moi et à ma famille cette magnifique demeure de nos rêves. Je reconnais que Tu me donnes l'inspiration désirée pour trouver facilement cette maison et je Te rends grâce de me fournir tous les moyens financiers pour y vivre heureux tant que nous le souhaiterons. Je sais que Tu me donnes toujours tout ce que je Te demande et je Te remercie de me manifester tant de bonté et de générosité. Merci de toujours m'exaucer, doux Seigneur!

Pour la résolution d'un problème particulier :

Je crois, je sens et je sais que Dieu est absolument conscient et infiniment créateur. Dans Sa Sagesse et Son Intelligence parfaites, l'Esprit divin tout-puissant est le Maître et le Savant par excellence. Il a inventé tout ce qui est à partir de Lui-même: Il est le Magicien suprême. Je suis stupéfait de la Beauté et de la Perfection sublimes du Réel et je reconnais que Dieu dirige et contrôle tout le jeu de Sa Manifestation. C'est Lui qui crée les problèmes et qui apporte les solutions. Je m'en remets donc totalement à Son Intelligence infaillible pour qu'Elle me révèle rapidement la réponse au problème qui me préoccupe actuellement. Dieu connaît mon problème et sa réponse idéale. Je Le remercie de me donner maintenant la clarté d'esprit, les personnes et tous les outils nécessaires pour que j'identifie aisément la solution. Merci pour cette trouvaille divinement logique!

Merveilleux Créateur et Père infiniment magnifique, Ta manifestation est un jeu suprêmement délicieux. Tu es le plus ancien et le plus jeune aussi, car Tu T'amuses comme un enfant à nous placer dans des situations inextricables et à nous en sortir lorsque nous revenons à la contemplation de Ta maîtrise parfaite sur tout. Tu inventes toutes sortes d'énigmes et Tu attends que nous Te demandions de l'aide pour nous sortir du pétrin en nous faisant apparaître Ta réponse impeccable. Comme Tu connais intimement le problème que je dois résoudre présentement, donne-moi l'inspiration, l'intuition, la clarté d'esprit, les personnes et tout ce qu'il me faut pour reconnaître rapidement Ta solution idéale. Je m'abandonne à Toi complètement parce que je suis sûr que Tu me réponds. Je Te rends grâce pour Ta Bienveillance toujours prête à me satisfaire.

Ces prières sont générales et tous les lecteurs n'y trouveront pas nécessairement les expressions correspondant à ce qu'ils cherchent. Adoptons tout simplement le style qui nous convient le mieux, celui qui correspond à notre individualité et aux buts que nous nous sommes fixés. La pratique régulière de la prière, de même que nos essais et erreurs, d'autres lectures du genre de celle-ci, ou nos discussions avec des amis ou «chercheurs de vérité», voilà autant de moyens susceptibles de nous aider à évoluer.

Dieu nous répond déjà

L'essentiel de notre démarche réside davantage dans la façon dont nous vivons notre prière que dans les mots que nous utilisons. Nous devons nous fondre en elle, comme lorsqu'on trempe l'acier dans le zinc pour le galvaniser, ou comme une mère qui serre son enfant sur son coeur jusqu'à ne plus sentir de différence entre elle et lui. Unissons-nous le plus chaleureusement possible au Divin et à notre rêve, jusqu'à éprouver Sa Présence et ressentir la joie du désir satisfait: nous serons alors convaincus que Dieu nous a entendus et qu'Il nous répond déjà. Nous nous exclamerons alors avec enthousiasme: «Merci Seigneur!»

Les lecteurs qui n'ont pas l'expérience de ce genre de méditation devront sans doute lire et relire les modèles suggérés afin de s'en pénétrer l'esprit. Pour ceux qui sont déjà familiarisés avec cette technique, souhaitons que ces exemples soient une source d'inspiration nouvelle qui leur permette d'aller plus loin, plus haut et plus en profondeur. Pour de meilleurs résultats, nous recommandons de répéter notre prière plusieurs fois et de différentes manières.

Les personnes qui s'adonnent librement et régulièrement à la prière y puisent leur joie de vivre et la source de tout leur succès. Nous possédons tous la lampe d'Aladin en nous, mais nous devons garder la flamme allumée et en prendre soin comme de la richesse la plus inestimable qui soit; plus nous l'utiliserons et la polirons, plus elle sera puissante en nous et pour nous.

Certains d'entre nous s'étonnent peut-être que nous utilisions des expressions superlatives ou magnifiantes à propos du Divin, ou que nous nous adressions directement à Lui. Nous appelons les grands de ce monde: «Le Très Honorable», «Sa Sainteté», «Maître», etc. Pourquoi éprouverions-nous de la gêne à nous exprimer ainsi lorsqu'il s'agit du Maître suprême, Celui dont la Perfection est telle qu'il nous semble difficile de L'apprécier à Sa juste valeur. Il ne faut pas voir dans cette attitude une volonté de nous abaisser au rang de serviteurs ou d'esclaves, mais plutôt la reconnaissance que nous sommes extrêmement minuscules au sein de la vie cosmique.

La Puissance et la Perfection du Divin sont inimaginables. Dieu est le réservoir de toute Bonté, de toute Douceur et de toute Humilité. En glorifiant Dieu, nous acceptons d'être une partie infime de l'Immensité absolue de la Réalité spirituelle et matérielle; mais en nous unissant régulièrement à Lui pour toutes nos préoccupations quotidiennes, nous prendrons chaque jour davantage conscience de Sa présence infiniment attentive et de Sa réponse chaleureuse à notre sincérité, à notre foi et à notre réceptivité.

Si nous nous nourrissons de l'Arbre de la Vie (conception unitaire et divine du Réel) au lieu du fruit défendu de l'Arbre de la Connaissance du bien et du mal (en prenant l'effet pour la cause), nous quittons notre statut de serviteur aveugle et nous retrouvons notre vraie place de Fils ou Fille unique de l'Esprit absolu ou de serviteur émancipé du Maître suprême, infiniment doux et généreux. Le Paradis est ici et maintenant: nous vivons d'ores et déjà dans le Royaume des Cieux. Nous alimenter à l'Arbre de la Vie fait grandir le Royaume de Dieu en nous et ses «fruits» (résultats positifs) imprègnent bientôt toutes nos activités. Pour jouir de toute l'opulence spirituelle et matérielle, il nous est bien peu demandé: croire, demander sincèrement et recevoir avec gratitude.

Nous ne prions pas uniquement par plaisir, ou parce que nous y sommes contraints, ou dans le but de faire bonne figure. Nous le faisons en espérant réaliser un but précis, un rêve, une aspiration ou un désir particuliers, et ce, de la manière la plus profitable possible. Nous exaltons la Présence divine en nous, par nous et autour de nous dans l'instant actuel. Et le bien que nous souhaitons nous est donné dans le présent parce que c'est le seul moment qui soit réellement: le passé est terminé et le futur n'existe pas encore.

Lorsque le jardinier met une graine en terre, il le fait dans le présent, en ayant la conviction immédiate qu'elle lui donnera un plant superbe. La semence pousse par elle-même: c'est dans sa nature de le faire. Au niveau spirituel, la terre c'est l'Esprit vivant, tout-connaissant et tout-puissant, donc infaillible, et la graine, notre façon de penser. Si nos pensées sont positives et bien orientées vers l'accomplissement d'un dessein particulier, nous pouvons dès maintenant être certains que le Divin nous en donnera la manifestation tôt ou tard, car l'extériorisation matérielle de nos pensées est dans l'ordre de la Réalité, comme la pomme est contenue dans le pépin.

La pratique de la prière ou de la méditation nous sera d'autant plus facile que nous le faisons déjà d'une manière inconsciente (on dit alors qu'on est «dans la lune» ou absorbé dans ses pensées). Notre effort consistera surtout à développer une nouvelle façon de penser plus spirituelle et à maintenir cette habitude. Pour y arriver, nous nous assurerons que les doutes, les peurs, les inquiétudes, les déceptions temporaires et les anxiétés ne viennent perturber, pendant le reste de notre activité mentale consciente, le travail que nous aurons effectué pendant nos périodes de calme, de détente et de concentration.

Faire confiance

La troisième phase de la prière scientifique est la «fermeture» ou l'abandon complet de notre demande et de nous-mêmes à la Connaissance-Puissance parfaitement intelligente, vivante et chaleureuse. Nous devrons parfois lutter pour écarter certaines pensées négatives comme: «J'ai peur!», «C'est impossible!», «Je me demande si...», «Ça ne marchera pas!», «Je n'ai jamais rien fait de bon!», «J'ai toujours été seul», «Je travaille comme un fou», «Les riches sont malhonnêtes», «Toujours les mêmes qui ont tout», «Je n'ai jamais été chanceux», «Ils vont finir par me faire mourir!». Aussi paradoxal que cela puisse paraître, nous devrons nous «forcer» pour nous laisser aller, «faire un effort» pour nous abandonner.

Dans les moments de doute et d'inquiétude, en attendant que notre foi soit parfaite, nous pourrons répéter: «Dieu m'aime et prend soin de moi maintenant», ou «J'ai remis cette affaire à Dieu et je sais qu'Il s'en occupe dès à présent», ou «Je me pardonne toute cette anxiété et m'abandonne entièrement à Toi Seigneur», etc. Notre difficulté vient du fait que nous avons appris à croire notre personne physique ou notre ego mental séparé entièrement responsables de tout ce que nous pensons, ressentons, disons et faisons. Il importe de corriger cette erreur en l'éclairant d'une nouvelle lumière: la confiance.

Le jardinier ne passe pas son temps à déterrer la graine qu'il a semée pour voir si elle pousse. Bien qu'il ne comprenne pas toutes les subtilités de son passage de l'état de semence à la pleine expression de son potentiel, il fait confiance et attend les résultats avec patience. Nous ferons de même après avoir soumis notre demande à Dieu: nous Lui ferons confiance et attendrons humblement sa manifestation concrète dans notre vie. Et cela, malgré notre ignorance des moyens qu'Il utilise. La réponse à notre prière ne dépend pas vraiment de nous, même si nous y participons de façon consciente ou non, mais plutôt de l'Intelligence parfaite et pratique de la Conscience-Puissance-Présence suprême, c'est-à-dire Dieu.

En contemplant régulièrement la splendeur et la majesté ineffables de toute Sa création, nous pourrons penser avec sincérité: «Moi, je ne suis rien et ne peux rien, mais Toi, Tu es Tout et Tu peux Tout», ou «Pas ma volonté, Seigneur, mais la

Tienne!» Notre responsabilité consiste donc à croire en Dieu, à Le reconnaître comme immanent, omniprésent, omniscient et omnipotent, à Lui demander ce que nous voulons, et finalement à ne pas contrarier Son action en entretenant des pensées opposées à notre souhait.

Pour nous aider à persévérer dans l'attente de notre bien, répétons-nous que: «Tout vient à point à qui sait attendre», «Un délai n'est pas un refus», «À chaque jour suffit sa peine», ou «Les soucis n'apportent pas à manger»... De telles pensées nous empêcheront d'intervenir négativement dans le processus d'accomplissement de notre désir et nous en faciliteront la réalisation complète. Et s'il advenait que l'anxiété, le doute ou la peur prennent le dessus, apprenons à nous pardonner et à nous bénir nous-mêmes avec amour: le blâme et la condamnation de soi n'arrangent rien.

Pour la pleine réalisation de nous-mêmes

La foi, l'espérance et la charité constituent l'attitude du coeur et de l'esprit susceptible de donner à notre démarche le maximum d'efficacité. Rappelons-nous que nous ne prions pas dans le but de nous donner bonne conscience ou pour façonner une nouvelle image de nous-mêmes (notre ego), ou pour que les autres aient une meilleure opinion de nous. Notre prière a pour but la pleine réalisation de nous-mêmes, dans ce que nous sommes essentiellement et dans toutes les activités de notre vie. La foi, l'espérance et la charité sont les vertus qui nous permettront d'atteindre nos buts.

Pour évoluer, nous avons besoin, bien sûr, de modèles mentaux, théologiques, métaphysiques ou philosophiques, mais prenons garde de ne pas confondre l'effet avec la cause ou le chemin avec le but. Toutes nos structures mentales ne sont que des outils temporaires dont nous n'aurons plus vraiment besoin lorsque l'expérience sera acquise. Ainsi en est-il des barreaux d'une échelle dont nous avons besoin pour atteindre le sommet de l'échelle: une fois en haut, ils perdent leur utilité.

Ignorons (volontairement) la possibilité de redescendre: dans le cas qui nous occupe, nous n'aurons pas à revenir en arrière, car nous serons «ici et maintenant» plus que nous ne l'avons jamais été auparavant.

La foi est la base de toute notre démarche; sans elle, il est inutile d'espérer quoi que ce soit. Nous exerçons notre foi en ouvrant notre esprit et notre coeur aux vérités éternelles, en faisant confiance aux maîtres qui ont enseigné et prêché, et surtout en ayant la certitude que tout cela nous est destiné. Il est vain de dire «Je crois» si nous n'utilisons pas la foi dans notre vie de tous les jours. L'espérance est l'action par laquelle nous projetons dans l'Esprit divin les désirs de notre coeur et de notre mental en sachant que, si nous pouvons rêver, nous pouvons aussi jouir dans notre vie concrète de la réalisation de nos rêves. L'espérance alliée à la foi nous donne la conviction inébranlable que tout ce à quoi nous osons croire va se réaliser dans notre vie.

La charité nous aide à nous pardonner à nous-mêmes et aux autres; elle contribue à développer notre patience et notre abandon envers la Puissance et la Bonté d'En-Haut.

La clarté d'esprit nous fournit les conditions fondamentales pour exercer notre puissance grandissante, mais c'est grâce à la pureté de notre coeur que cette puissance apportera dans nos vies des résultats merveilleux. En méditant ou en priant de la façon prescrite, nous atteindrons n'importe lequel de nos buts, mais sachons que si nous pratiquons l'amour, nous en récolterons, si nous condamnons, nous serons condamnés, si nous bénissons, nous serons bénis et si nous pensons ou faisons toute chose pour le bien des autres, il nous sera rendu au centuple.

VIII

Le remerciement

Nous avons tous observé, à un moment de notre vie, la réaction d'un enfant à qui on remet un cadeau: il manifeste sa joie en sautant au cou de ses parents ou en s'absorbant spontanément dans l'utilisation de son présent. Nous sommes émerveillés de constater à quel point sa simplicité et son enthousiasme à recevoir sont grands. Nous savons aussi qu'un enfant peut être égoïste ou ingrat, qu'il lui arrive de se comporter comme si tout lui était dû, sans égard à celui ou celle qui lui procure du plaisir. La frustration est encore plus grande lorsque l'enfant n'apprécie pas ce qu'on lui donne et qu'il rejette son présent.

On apprend à l'enfant à dire merci en utilisant toutes sortes de méthodes: on a recours tantôt à la douceur et à la répétition, tantôt à la violence et à la culpabilité...Les parents ont raison de penser que l'enfant doit apprendre à vivre dans le monde sans s'attendre à ce que tout lui soit dû. De son côté, étant entièrement dépendant, l'enfant a raison de penser qu'il devrait recevoir tout ce dont il a besoin, sans faire de courbette. Spirituellement parlant, il est vrai qu'en tant qu'ego séparé, nous devons travailler à la sueur de notre front pour obtenir ce que nous désirons, mais il est exact également d'affirmer qu'en tant que fils et fille unique de Dieu ou de serviteur libéré du Maître suprême, nous pouvons réaliser nos rêves les plus chers avec un minimum d'effort.

En examinant les rapports entre le spitituel et le matériel ou les phénomènes de l'Esprit eux-mêmes, nous constatons qu'à toute loi ou tout principe du domaine matériel correspond un principe spirituel. Ainsi, le principe d'Archimède selon lequel «tout corps plongé dans l'eau reçoit une poussée verticale de bas en haut égale au volume d'eau déplacé» se traduit dans l'Esprit par: «Toute pensée projetée dans le Mental suprême reçoit une poussée de l'intérieur vers l'extérieur (matérialisation) égale au degré de foi dont nous l'avons investie.» On comprend facilement que, comme le chêne est inclus dans le gland (matériel), la réalisation d'un rêve est comprise dans la pensée de son accomplissement (spirituel). Et de même qu'il est difficile ou impossible de s'orienter dans l'obscurité totale, il sera pénible et peut-être même funeste d'essayer de diriger sa vie sans clarté d'esprit (c'est le cas des psychotiques qui vivent la confusion mentale la plus extrême).

Nous en arrivons à la même conclusion en ce qui concerne le remerciement. S'il est bienséant et même rentable de remercier dans le monde matériel, cet exercice au niveau spirituel nous amènera à identifier notre rôle de plus en plus clairement et à recevoir rapidement une avalanche de bénédictions. Nous gagnerons à remercier Dieu régulièrement pour tous Ses bienfaits. Ainsi, Sa position de Dispensateur absolu de tout bien et notre rôle de bénéficiaire de toutes Ses richesses nous seront de mieux en mieux révélés. Dieu est l'origine, le milieu et la fin de tout; Il est donc l'unique propriétaire de toutes choses et, par conséquent, le seul à pouvoir nous donner quoi que ce soit. Prenons donc l'habitude de nous adresser davantage à Lui directement pour la satisfaction de tous nos désirs, et ce, en toute première instance, avant d'être enlisés dans la pire confusion.

Dieu nous connaît tels que nous sommes, et c'est pourquoi nous nous unissons délibérément à Lui pour qu'Il nous révèle à nous-mêmes dans notre totalité. Nous réaliserons de plus en plus que nous ne sommes pas seuls car Dieu, en tant que Conscience suprême et absolue, nous est infiniment intime. Le remerciement dans le domaine spitituel nous aidera à retrouver notre parfaite innocence d'enfant et la joie intense de recevoir, car Celui qui donne sait mieux que nous-mêmes ce dont nous avons besoin et Il est en même temps la Source de tout bonheur. Notre nouvelle habitude nous ouvrira à tous Ses dons spitituels et matériels, y compris à l'expérience sublime et savoureuse de la joie sans mélange.

Jésus le Christ a dit: «Celui qui s'élève sera abaissé et celui qui s'abaisse sera élevé.» Ces paroles ne sont pas une invitation à nous autodétruire par la condamnation, le blâme, la culpabilité ou le mépris de nous-mêmes. Elles signifient plutôt qu'on ne peut se développer davantage si l'on croit tout connaître. Spirituellement parlant, la personne qui est remplie d'elle-même ne laisse aucune place à l'illumination de son mental et de sa vie. Ce que nous appelons communément l'orgueil n'est qu'un sentiment exagéré de l'ego qui ne fait qu'amplifier notre sensation d'être séparés ou isolés. Nous échouerons si nous essayons de nous débarrasser de ce défaut par la force, car plus on se bat avec ou contre lui, plus il s'enracine et prend de la vigueur.

Une source d'inspiration et de motivation exceptionnelle

Le remerciement spirituel est en quelque sorte l'accroissement du positif pour éliminer le négatif, l'élargissement de la lumière pour faire disparaître l'obscurité, le développement des bons sentiments pour dissoudre les mauvais. La projection des pensées d'amour et d'amitié expulse la haine et la rancoeur de nos vies; la foi nous libère de nos peurs et de nos inquiétudes; l'exaltation de Dieu en nous et le remerciement à Son endroit détruisent progressivement notre ego illusoire, limité et limitant.

En nous engageant davantage dans cette voie, nous réalisons que les richesses de Dieu sont illimitées et inépuisables, et que ce que nous avons reçu à ce jour est peu en comparaison de ce que nous allons bientôt recevoir. Cette prise de conscience est une source d'inspiration et de motivation exceptionnelle: nous nous sentons tout d'un coup comme des êtres nouveaux, à qui tout est possible. Que pouvons-nous espérer de plus que de disposer de tout le Savoir et de tout le Pouvoir pour accomplir tous nos rêves?

Nous comprenons la valeur suprême du remerciement dans la prière quand nous réalisons qu'il synthétise toutes les conceptions, étapes, attitudes mentales et émotives appropriées pour l'efficacité totale de notre démarche. Le remerciement garde ouverte notre relation intime et vivante avec le Divin en nous, par nous, avec nous et pour nous. Il nous rappelle continuellement que le Divin est le Donateur souverain et que nous sommes les récipiendaires de toutes Ses largesses. La gratitude spirituelle favorise tous nos bons sentiments d'enthousiasme, de contentement, d'amour, de sincérité, de saine humilité, et solidifie de mieux en mieux notre foi et notre espérance. Nous pouvons en effet difficilement imaginer un comportement dénotant plus de confiance et de réceptivité que de remercier à l'avance pour un bien que nous n'avons par encore reçu.

La prière de gratitude instaure et maintient un tel degré de positivisme dans tout notre être que nous en ressentons rapidement une nouvelle force devant laquelle les pires difficultés semblent des jeux d'enfant. Nous retirerons un énorme profit à affronter des problèmes majeurs en remerciant l'Esprit de toute Sagesse de les avoir mis sur notre chemin. Cette attitude nous aidera à les solutionner et à comprendre que tout obstacle est en réalité un défi intéressant, et que toute énigme contient une richesse qui ne demande qu'à être conquise.

Dans le moment présent

Enfant, nous avons appris à exprimer notre reconnaissance pour partager la satisfaction de notre désir accompli. Aujourd'hui, nous ferons l'inverse: nous remercierons pour retrouver, amplifier et maintenir en nous une délectation permanente, ce qui nous permettra de recevoir toujours davantage spirituellement et matériellement. Et nous le ferons dans le seul instant réel qui soit: le moment présent. Nous nous libérerons ainsi d'un seul coup de l'impasse dans laquelle nous nous enfermons souvent en nous remémorant les expériences négatives et douloureuses du passé ou en appréhendant avec anxiété des déboires éventuels. Si nous implantons en nous l'habitude du remerciement mental et de la satisfaction qui en découle, dans le moment présent, qu'advient-il de la souffrance du passé et quelle place reste-il pour l'inquiétude liée aux soi-disant difficultés possibles de l'avenir?

Évidemment, une habitude ne se forme pas du jour au lendemain, mais une fois établie, il est difficile de s'en défaire. S'il nous faut un peu de discipline pour cristalliser celle-ci en nous, faisons-le avec plaisir et ardeur, car une fois acquis, ce comportement nous attirera tous les trésors de la vie. Nous considérerons alors que c'est le plus beau cadeau que nous ne nous soyons jamais offert.

Dans nos moments de méditation ou de prière, emplissons notre esprit et notre coeur de reconnaissance et de gratitude pour toutes les richesses de la vie. Si nous possédons déjà les biens pour lesquels nous remercions, notre prière incitera en quelque sorte à les conserver et à les voir se multiplier dans notre vie. Si nous n'avons pas encore reçu ces biens, notre méditation nous les fera obtenir. C'est dans ce sens que Jésus disait: «Tout ce que vous demanderez à mon Père (l'Esprit) en mon nom, croyez que vous l'avez déjà reçu (remerciez) et vous l'obtiendrez.»

Ainsi, nous pouvons penser :

Je rends grâce à Dieu pour l'avalanche de bénédictions et de richesses dont Il me fait profiter à chaque instant de ma vie. Merci de toujours me donner la clarté mentale et l'intelligence pour me réaliser moi-même totalement dans toutes les dimensions de mon être. Merci de me procurer tout l'argent qu'il me faut et même davantage pour satisfaire mes besoins et ceux de ma famille. Merci pour mon travail parfait. Merci pour l'amour, la paix et la joie qui grandissent sans cesse dans toutes mes pensées et toutes mes actions. Merci pour la résolution rapide et adéquate de tous les problèmes auxquels je fais face. Merci pour ma libération continuelle de l'illusion et de l'ego limitant. Merci pour ma famille extraordinaire. Merci pour mon succès croissant dans toutes mes affaires. Merci.

ou:

Merci Seigneur de me ramener sans cesse à la contemplation de Ton Unité indivisée et indivisible. Merci mon Dieu de continuellement me rappeler que Tu es toujours présent et que Tu veux me satisfaire à tout point de vue. Merci Maître tout-puissant et infiniment bon de me combler de toutes Tes richesses spirituelles et matérielles. Merci Seigneur merveilleusement doux de me faire continuellement goûter à toutes les subtilités délicieuses de l'amour, du pardon, de l'amitié, de la joie et de la paix... Merci Père suprêmement généreux de me rendre de plus en plus sain et prospère, mentalement, physiquement et spirituellement. Merci Maître omniscient de me révéler de mieux en mieux qui Tu es et qui je suis. Merci Seigneur de toujours m'entourer de Ta divine protection et de le faire aussi pout tous les membres de ma famille.

Nous n'avons aucun intérêt à créer des limites à la liste des biens spirituels et matériels pour lesquels nous pouvons remercier: l'opulence et la magnificence du Divin sont incommensurables, inimaginables et inépuisables. Et lorsque nous serons aux prises avec une difficulté concrète, nous gagnerons à penser avec enthousiasme:

Merci Seigneur pour ce problème et merci de me dévoiler la solution parfaite!

ou:

Dieu m'aime et prend soin de moi maintenant. Merci!

Nous nous mettrons ainsi dans une position de victoire face à n'importe quelle situation.

S'éveiller à une vie nouvelle

La pratique régulière du remerciement développera en nous un tel état d'esprit que nous nous éveillerons à une vie totalement nouvelle. En nous débarrassant de tous nos faux concepts à propos de nous-mêmes et en nous soulageant complètement du fardeau horrible de tous nos sentiments de haine, de culpabilité, de rancune et de peur, cette nouvelle habitude libérera tous nos sens et nous pourrons à nouveau nous émerveiller devant les miracles que nous avions oubliés: notre existence, l'air, le grain de sable, l'activité bourdonnante de l'homme, l'infinité du cosmos, la vie... Nous serons à nouveau stupéfaits de la profonde beauté de toute réalité, et nous nous extasierons devant l'infinie multiplicité de toute la Manifestation.

Brisons les chaînes de nos limitations mentales et ouvrons-nous le plus rapidement possible à la conscience de la divinité de tout ce qui est, ici même et dès à présent. Et remercions le plus souvent que nous pouvons. Avec le temps, cet exercice nous fera vivre et sentir toujours plus intensément l'intime et chaleureuse présence de Dieu en nous et autour de nous. Qu'y a-t-il de plus sécurisant et de plus libérateur que de sentir dans toute notre expérience consciente la réalité vivante de Celui qui a tout créé, qui sait tout et peut tout pour nous?

Celui qui saisit bien la perfection du remerciement dans l'Esprit a intégré l'essentiel de la prière scientifique. Celui qui s'y applique avec enthousiasme voit sa vie s'embellir et se diviniser dans tous les domaines mentaux et physiques où il est impliqué; il constate que sa joie d'être et de vivre s'accroît sans cesse et qu'il peut «recharger» les autres sans perdre une parcelle de sa nouvelle énergie. Il s'aperçoit que son intuition s'ouvre chaque jour davantage aux inspirations et directives du Divin pour l'administration de toutes ses affaires courantes et l'accomplissement de sa propre réalisation. Toute sa vie devient plus juste et plus réelle. Son imagination et ses facultés mentales sont stimulées et vitalisées, son potentiel s'améliore de jour en jour, ses sens se raffinent et il se sent de plus en plus envahi de secrète et divine harmonie, à l'intérieur comme à l'extérieur. Il prend conscience qu'au lieu de perdre il s'enrichit à tout point de vue et que le petit moi illusoire, auquel il était si attaché, s'est agrandi pour se fondre de plus en plus dans le Moi divin. Il proclamera un jour comme Jésus le Christ: «Mon Père (le Moi suprême de l'Esprit) et moi (ego) ne sommes qu'Un!» Et il sera alors parfaitement conscient de son identité véritable et du droit naturel qu'elle lui confère d'hériter de toutes les richesses spirituelles et matérielles de Dieu, le Père céleste.

L'adepte fidèle de la prière de remerciement se réjouira de voir fleurir chaque jour un peu plus, dans son expérience intime, tous les attributs de perfection du Maître et Seigneur absolu de toute vie: l'amour véritable, la joie intense, la bonté inconditionnelle, la paix profonde, l'amitié sincère, la pureté parfaite, le plaisir sans mélange, le succès illimité, la richesse débordante, la connaissance sûre, la conscience illuminée, l'enthousiasme vivifiant, la vitalité sans borne, l'intelligence infaillible, le jugement correct, la beauté radieuse, la santé indestructible, la foi absolue, la sécurité inébranlable, l'humilité réelle, la puissance effective, etc.

Plus nous remercions régulièrement, plus nous recevons de bénédictions qui nous incitent naturellement à la reconnaissance; cela a comme conséquence de nous procurer toujours plus de largesses, et ainsi de suite, à l'infini.

Dès maintenant, prenons la décision de nous impliquer le plus tôt possible dans cette activité merveilleuse et faisons-le régulièrement afin d'obtenir un maximum de résultats. Parlons spontanément et simplement à Celui à qui nous nous adressons et qui nous connaît mieux que nous-mêmes: Il nous est infiniment intime et Sa douceur est incomparable. Emplissons notre esprit et notre coeur de pensées et de sentiments d'authentique gratitude, en répétant par exemple:

Merci mon doux Seigneur de me révéler si gracieusement la voie facile qui divinise toute ma vie. Merci Intelligence suprême de me montrer le juste chemin en tout temps et en tout lieu. Je Te rends grâce Mère toute aimante de me tenir par la main pour mon progrès continu sur cette voie. Merci Père infiniment bon de me reprendre totalement avec Toi comme Ton fils unique. Je suis profondément reconnaissant de ce que Tu remplisses sans cesse mon esprit, mon coeur et mon corps de Ta beauté, de Ta bonté et de Ta vérité. Je suis chaque jour plus heureux de réaliser de mieux en mieux Ta divine et chaleureuse présence en moi, près de moi et pour moi et je Te prie de toujours faire grandir cette nouvelle conscience en moi. Je sais que Tu as maintenant pris ma vie en main et qu'à cause de Ta sagesse parfaite et de Ta puissance infaillible, je vis de plus en plus de santé, de prospérité et de liberté dans toutes mes affaires personnelles, familiales, sociales et professionnelles. Merci de me procurer toujours plus d'argent et de biens matériels dont je me sers adéquatement. Merci pour ma clarté d'esprit grandissante. Merci pour mon intuition toujours plus juste. Merci pour Tes directives précises et appropriées en toutes circonstances. Merci pour tout Ton amour, Ta paix et Ta joie sur moi et sur tous les miens. Merci pour le nombre sans cesse grandissant d'amis sincères et honnêtes dont Tu m'entoures. Merci pour tous Tes miracles dans ma vie!

Ne manquons pas d'audace: il n'y aucune limite à la Richesse intarissable du Divin et à Sa Puissance d'accomplissement infaillible. Il Se montre toujours empressé de nous répondre lorsque nous Lui faisons entièrement confiance. Enfin, si nous désirons un bien particulier (une automobile, une somme d'argent précise, um emploi, une directive particulière...), nous devons remercier pour cette réalité même si nous n'en avons pas encore fait l'expérience concrète dans notre vie. Nous confirmerons ainsi l'instruction de Jésus: «Si vous demandez un poisson, il ne vous sera pas donné un oeuf!»

Conclusion

J'ai éprouvé une immense satisfaction à rédiger ce livre, et j'espère que vous en tirerez beaucoup de profit. Le Seigneur et Maître Jésus a clairement dit que tous ceux qui mettraient ses paroles en pratique obtiendraient le pouvoir de faire des miracles aussi grands que les siens et de plus importants encore. S'il est un Fils unique parfait de Dieu le Père céleste, il n'est pas Son seul enfant, et nous avons droit nous aussi à ce statut privilégié et éternellement établi.

Le fils ingrat de la parabole de l'enfant prodigue a décidé de se séparer (ego) de son père (Dieu) pour vivre comme si (illusion) il n'était pas de son sang; lorsqu'il revient à la maison paternelle (l'Esprit), il réalise que son père (le Divin) ne l'avait jamais renié (comment Dieu pourrait-il oublier Son identité et la nôtre?). Faisons comme l'enfant prodigue: changeons notre façon habituelle de penser et d'agir en fonction des phénomènes illusoires de la Manifestation extérieure, afin de contempler la Cause unique de toute cette multiplicité. Et reprenons rapidement notre véritable position par rapport au Divin omniprésent, omniscient et omnipotent.

Nous réaliserons alors que le Seigneur ne nous a jamais oubliés et que nous avons toujours été, que nous sommes encore et serons sans cesse Ses enfants. Nous aurons l'impression d'ouvrir une porte qui, en fait, n'a jamais été fermée (l'illusion de l'ego séparé). Gardons-nous toutefois de nous comporter comme le deuxième fils du riche propriétaire qui est resté à la maison, mais ne s'est jamais réjoui de tout ce que son statut comportait de richesse, de puissance et de joie.

Le Jeu cosmique de l'illusion de l'ego est le tour le plus magistral que nous joue le Maître et Magicien suprême: c'est justement cette séparation irréelle (que nous prenons pour la vérité) qui nous permet maintenant de jouir profondément de notre retour au Savoir authentique et au Pouvoir effectif. Après avoir tant souffert de notre isolement, nous mordrons à pleines dents dans les fruits du paradis terrestre et nous ne nous comporterons plus jamais comme si l'existence était une réalité anodine ou banale. Notre émerveillement va s'accroître de jour en jour, et nous nous réjouirons toujours plus de notre nouvelle compréhension et de tous les trésors que nous pouvons maintenant en tirer.

La lampe d'Aladin est en notre possession de toute éternité; elle représente le pouvoir de nos pensées éclairées en union de foi et d'amour avec l'Esprit, et l'aspiration de notre coeur. Utilisons-la le plus souvent possible, avec respect, intelligence et gratitude, car l'outil abandonné rouille et le présent ignoré s'oublie. Laissons-nous inspirer par l'histoire de l'enfant qui, revenant de sa première leçon de musique avec son violon sous le bras, rencontre un vieillard portant le même instrument. L'enfant, qui désirait voir la Place des Arts avant de rentrer à la maison, demanda au vieux monsieur: «Quel est le chemin le plus court pour la Place des Arts?» Et le vieillard de lui répondre: «Pratique mon fils, pratique!»

Seule la pratique régulière des différentes techniques de la méditation ou de la prière scientifique nous rendra aptes à maîtriser cet art de la Connaissance et de la Puissance. N'hésitons pas une seconde de plus, planifions tout de suite les moments de la journée que nous réserverons à nos exercices et tenons-nous en à notre programme, comme à ce que nous avons de plus important au monde. Ne craignons pas surtout de demander à Dieu Son aide pour nous permettre de respecter notre engagement face à nous-mêmes.

Le fait de prier de dix à quinze minutes, matin, midi et soir, n'a rien d'austère et de mortifiant. Pendant ces moments privilégiés, nous nous débarrassons de nos ennemis en leur pardonnant et en les bénissant, nous nous libérons de toute anxiété en remettant nos fardeaux au Maître tout-puissant et nous jouissons de tous les plaisirs de nos désirs satisfaits en remerciant Dieu pour leur accomplissement. N'oublions pas que celui qui passe sa vie dans le doute, la peur, l'inquiétude et l'impuissance est, en fait, beaucoup plus austère que celui qui, parce qu'il est conscient du secret qu'il possède, qu'il sait comment s'en servir et qu'il l'utilise effectivement, réalise tous ses rêves.

Remerciements

Je remercie tous mes éducateurs, tous ceux et celles qui ont contribué de près ou de loin à ma formation en général et à mon évolution spirituelle en particulier.

Je pense aux membres de ma famille, à mes amis, à mes enseignants dans différents domaines et à mes guides spirituels.

Je remercie aussi les personnes qui m'ont motivé et encouragé à écrire et publier cet ouvrage.

Je remercie enfin madame Sylvie Ruel, rédactrice du Reader's Digest, qui a corrigé la version originale du premier manuscrit et lui a donné sa forme finale.

DÉJÀ PARUS
dans la même collection

Le Tao de l'Éducation, de Constantin Fotinas.

Sous la plume de Constantin Fotinas, l'éducation déborde de son cadre usuel. L'auteur dépeint l'ÉDUCATEUR comme toute personne en situation de responsabilité vis-à-vis des autres: les parents dans la famille, les enseignants à l'école, les patrons au travail, les médecins à l'hôpital, les administrateurs dans l'entreprise, le gouvernement dans l'État. Cette vision de l'éducation justifierait à elle seule l'intérêt porté à cet ouvrage. Mais le lecteur y découvrira bien plus encore.

Inspiré dans son fond et dans sa forme du TAO TE KING, *Le Tao de l'Éducation* ouvre notre réflexion sur la nature même de l'enseignement. À travers ce texte sont dépeintes l'ÉDUCATION UTILITAIRE, qui s'intéresse «aux choses et aux êtres qui ont un nom», et l'ÉDUCATION DES PROFONDEURS qui s'intéresse au «monde intérieur, éduque l'intuition et développe l'esprit». L'alliance de ces deux Éducations permet l'émergence de ce que C. Fotinas appelle La Grande Éducation. Mais notre monde d'abondance a divisé ces deux principes complémentaires pour privilégier l'Éducation du Profit. Une Éducation qui enseigne par la crainte, jouant des armes que sont les punitions et les récompenses, les honneurs et la disgrâce.

Renouer avec La Grande Éducation représente certainement une révolution de taille. Mais c'est peut-être dans cette démarche que résident les solutions aux différents problèmes de notre société qui souffre de «surdéveloppement». Pour accomplir sa mission, notre Éducation ne devrait-elle pas devenir moins forte, moins sûre d'elle, plus humble?

Le Tao de l'Éducation nous convie à une réflexion sincère de nos attitudes de vie puisque nous sommes tour à tour des éduqués et des éducateurs.

L'Univers, corps d'un seul vivant, de Robert Linssen.

> «... il n'y a aucune désunité entre les étoiles et l'espace, non plus qu'entre la terre et votre propre corps. Tout cela ne fait qu'un corps.»
>
> Robert Linssen

Tous les écrits et travaux du chercheur Robert Linssen soutiennent une même conviction que la science moderne est venue confirmer: il n'y a pas de scission entre le monde matériel et le monde spirituel.

Faisant état du savoir de la physique contemporaine, évoquant les conclusions auxquelles sont arrivés des chercheurs comme David Bohm, F. Capra, H.P. Stapp, entre autres, Robert Linssen permet la rencontre de la pensée scientifique et mystique.

L'Univers, corps d'un seul vivant trace la voie d'une nouvelle vision du monde. Nous quittons les abords de la logique cartésienne et dualiste pour entrevoir une vision holistique de l'univers. Il va de soi alors, écrit R. Linssen, qu'une «révolution s'impose. Au seuil du troisième millénaire, le mot réel doit englober les aspects visibles et invisibles de l'Univers.»

Dans ce livre qui fait écho aussi bien à la science moderne qu'aux traditions spirituelles, nous sommes invités à réfléchir à l'Univers comme le corps d'un seul et même Vivant. Si les outils de notre pensée ne peuvent encore concevoir avec aisance cette réalité, R. Linssen nous démontre que les observations de la science, elles, nous forcent déjà à amorcer cette véritable révolution de la conscience.

Robert Linssen est également l'auteur, entre autres, de La spiritualité de la matière, Bouddhisme, Taoïsme et Zen, Au-delà du hasard et de l'anti-hasard *et* La mutation spirituelle du IIIe millénaire.